LE CHEVALII DE MORNAC

Tome I

Joseph Marmette

À Elzéar Gérin

Homme de lettres,
député à l'Assemblée législative

Vous connaissez, mon cher ami, la double personnalité qui s'abrite sous le nom du Chevalier de Mornac ; et comme à moi, les deux modèles qui ont posé pour le type de mon héros vous sont chers. Je ne puis donc faire mieux que de vous dédier ce livre qui, tout en racontant les grandes actions d'un autre âge, a la prétention de peindre, réunis en un seul personnage, les deux caractères les plus délicieusement gascons de notre époque. Outre que l'orgueil légitime de l'auteur sera flatté si j'ai quelque peu réussi, mon amitié sera ravie de nous rendre encore plus présents, tous les trois à votre excellent souvenir.

JOSEPH MARMETTE

Introduction

Vers l'année 1664, la Nouvelle-France venait de traverser et subissait encore une des phases les plus douloureusement critiques de son histoire. Rendus fiers et tout-puissants par le succès de leurs armes, qui, douze ans auparavant, avaient anéanti la grande nation huronne, les Iroquois régnaient en maîtres sur le territoire du Canada. Tandis que les guerriers des cinq cantons iroquois tenaient en état de blocus Montréal, Trois-Rivières et Québec, villes qui n'étaient encore que de petits bourgs mal protégés par des palissades de pieux, leurs bandes de maraudeurs assassinaient les laboureurs isolés dans les campagnes.

Bien loin de songer à attaquer, les colons français ne se défendaient qu'avec peine. Tel était le découragement et si grande la terreur universelle, que les émigrés parlaient d'abandonner ce pays de malédiction pour retourner en France.

La situation semblait en effet désespérée.

Négligée par la compagnie des Cent-Associés, qui ne songeait qu'à la traite des pelleteries, affaiblie par les dissensions entre les gouverneurs et l'autorité ecclésiastique, dans le Conseil-Supérieur, à Québec, la colonie naissante se peuplait en outre si lentement qu'elle ne pouvait fournir des défenseurs suffisamment nombreux pour tenir tête aux Iroquois. Il eut fallu leur opposer un corps de troupes assez imposant, et c'est à peine s'il y avait au Canada une centaine de soldats, dispersés dans les différents postes. Depuis longtemps les gouverneurs et les jésuites demandaient à grands cris des secours. Mais leurs supplications allaient mourir sans résultat par-delà l'Océan.

De prime abord, cette indifférence de la mère-patrie doit sembler inexcusable ; mais lorsqu'on se transporte de l'autre côté de l'Atlantique pour jeter un coup d'œil sur les tumultueux événements qui bouleversaient alors le royaume de France, on s'explique cette apathie.

La mort du cardinal Richelieu, arrivée en 1642, bientôt suivie de celle de Louis XIII, les désordres civils qui signalèrent la régence d'Anne d'Autriche, les troubles de la Fronde, la bataille qui avait fait rage aux portes de Paris, la confusion à laquelle le royaume entier était en proie, tout cet éclat d'armes et de discordes qui remplissait la France étouffait sans peine le faible bruit des quelques voix qui s'élevaient en faveur du Canada. Si les particuliers, qu'enveloppait la guerre civile, ne songeaient point à la Nouvelle-France, comment Mazarin, à qui les factieux en voulaient surtout, aurait-il pu s'occuper d'une colonie naissante et perdue au-delà des mers ? Ce ministre n'avait eu déjà que trop de peine à se maintenir entre la turbulence du Parlement et les prétentions du grand Condé, à venir jusqu'en 1653. Ensuite, il s'était trouvé tout absorbé par le soin de pousser la guerre contre les Espagnols, commandés par Condé mécontent. La bataille des Dunes, livrée près de Dunkerque par Turenne à ces derniers, avait laissé la victoire définitive aux troupes françaises et anglaises, alliées contre l'Espagne, à laquelle Dunkerque fut immédiatement enlevée pour être remise aux Anglais, suivant les conventions antérieures arrêtées entre Cromwell et Mazarin. La guerre ainsi heureusement terminée, le cardinal, en digne élève de Richelieu, trouva que le meilleur moyen d'assurer la durée de la paix était de marier Louis XIV avec l'infante Marie-Thérèse d'Espagne. Les négociations qu'il lui fallut entreprendre à cet effet et mener à bonne fin, précédèrent de plusieurs mois l'union du roi de France avec l'infante. Ce mariage diplomatique fut célébré en 1660.

Mazarin étant mort l'année suivante, Louis XIV avait pris aussitôt le sceptre d'une main ferme, bien décidé de régner par lui-même et de maintenir la tranquillité intérieure, ainsi que d'augmenter la prospérité du royaume, tout en le faisant respecter et en l'agrandissant au dehors.

Mazarin, qui avait trop songé à remplir ses propres coffres – il possédait à sa mort près de deux cents millions – avait laissé les finances dans un état déplorable ; mais grâce à l'administration sage et vigoureuse de Colbert, le trésor public fut sitôt rempli que, dès 1663, Louis XIV pouvait racheter des Anglais Dunkerque, qu'il s'empressa de fortifier.

Le même Colbert, si entendu à l'administration intérieure, savait aussi tout le bénéfice qu'on pouvait attendre des colonies. L'Espagne en était un frappant exemple, elle qui, depuis plus d'un siècle, entretenait la guerre contre toute l'Europe, grâce aux immenses ressources que l'ingrate patrie adoptive de Colomb tirait de l'Amérique.

Aussi la Nouvelle-France attira-t-elle tout d'abord l'attention de Colbert, qui, la voyant dépérir entre les mains de la compagnie des Cent-Associés, se hâta de placer la colonie plus immédiatement sous le contrôle de l'autorité royale.

Par un édit du roi, de 1664, le Canada fut cédé à la compagnie des Indes Occidentales. En même temps Louis XIV nommait le marquis de Tracy vice-roi de toutes les possessions françaises en Amérique, M. de Courcelles, gouverneur du Canada et M. Talon, intendant. Le choix était des plus judicieux. Il ne fallait rien moins que la réunion de ces trois hommes de talent et d'énergie pour arrêter la colonie sur le penchant de sa ruine et la relever par un habile et puissant effort.

Pour seconder les vues de ces hommes éclairés, le régiment de Carignan, composé de vingt-quatre compagnies, fut mis à leur disposition. La petite flotte, sur laquelle on embarqua les troupes fut aussi chargée d'un grand nombre de familles de cultivateurs et d'artisans, amenant des bœufs, des moutons et les premiers chevaux qui aient été vus en Canada. Soldats, marchands, colons, tous comptés, formaient plus de deux mille âmes, c'est-à-dire une population presque aussi considérable que celle déjà résidante en la Nouvelle-France.

Tous ces secours n'arrivèrent pourtant qu'en 1665 à Québec. La colonie était sauvée.

Mais mon but n'est pas de m'arrêter d'une manière spéciale sur la période de progrès qui allait succéder à un état d'affaissement si prolongé. Bien que je doive indiquer cette heureuse renaissance au dénouement de l'action de cette œuvre, j'ai voulu surtout décrire, dans les pages suivantes, les périls, les angoisses, les terreurs et les drames qui marquaient chaque journée des hardis pionniers, nos admirables aïeux. Ce que je veux peindre ici, c'est cette vie d'alarmes, d'embûches et de luttes terribles dont est toute remplie l'héroïque époque qui précéda l'arrivée du régiment de Carignan ; les craintes des habitants des villes, les incessants dangers du colon isolé dans les campagnes et souvent hors de la portée de tout secours ; puis, à côté de cette existence parsemée d'épouvante, mais que rendaient cependant supportable encore certaines jouissances de la civilisation, les mœurs ou plutôt les coutumes barbares des tribus iroquoises ; les marches forcées et pénibles de leurs prisonniers de guerre ; les malheurs et la dispersion de la nation huronne ; les tortures des captifs, leurs souffrances dans les villages iroquois ; les longues nuits d'insomnie sous les wigwams enfumés, les raffinements de cruauté des vainqueurs sur leurs prisonniers sauvages ou blancs ; l'admirable courage de ces derniers au milieu de souffrances, de tourments inouïs ; enfin la marche stoïque de la civilisation contre la barbarie aux abois : et, pour adoucir les sombres couleurs d'un pareil tableau, l'insoucieuse gaieté gauloise, accompagnée d'un amour pur, fine fleur de chevalerie française aux parfums pénétrants et salutaires comme l'image de Béatrix que Dante emporte en son âme pour mieux endurer la vue des horreurs de l'enfer.

I

L'arrivée

Le soleil s'élançait, tout resplendissant, au-dessus de la cime boisée des falaises de la Pointe-Lévi. Ses traits de feu trouaient l'humide manteau de vapeurs grises, qui tombait des épaules du roc géant de Stadaconna et s'en allait effleurer de ses franges ouatées les eaux du grand fleuve, encore endormi aux pieds de la ville de Champlain. Secoué par la brise du matin, le brouillard commençait à se disperser dans l'air, où ses lambeaux se dissipaient avec les dernières ombres de la nuit.

C'était le matin du 18 septembre de l'an de grâce 1664, qui s'annonçait si radieux à la petite ville de Québec.

Là-bas, entre l'extrémité de la Pointe-Lévi et le flanc onduleux de la belle île d'Orléans, aux feuillages rougis par l'automne, les trois voiles blanches d'un vaisseau semblaient planer dans l'espace. Quelques flocons de brume qui roulaient encore en se jouant, sur la crête de petites vagues qu'un léger vent de nord-est commençait à soulever sur le fleuve, enveloppaient le corps du navire, dont les voiles, seules en vue, se rapprochaient graduellement de la ville comme celles d'un vaisseau fantôme.

Bientôt, les victorieux rayons du soleil balayèrent devant eux ces restes de brouillard, qui disparurent en un instant, comme les traînards de l'arrière-garde d'une armée vaincue, sous la dernière volée de mitraille des vainqueurs.

Le trois-mâts apparut alors en entier, sa voilure coquettement inclinée à bâbord, tandis qu'un bouillonnement de blanche écume dansait gaiement au-devant de la proue du vaisseau ; car la brise fraîchissait du large.

Or, en ce moment, maître Jacques Boisdon, l'unique hôtelier de Québec, ouvrait les contrevents de son hôtellerie, sise sur la rue Notre-Dame et près de la grande place, à la haute-ville. Le bonnet de laine rouge de l'hôtelier était gaillardement rabattu sur sa bonne grosse figure enluminée, les aiguillettes de son haut-de-chausses lui retombaient jusqu'au genou en décrivant un quart de cercle sur la respectable rotondité de son ventre, tandis que le vent du matin se jouait dans le collet déboutonné de sa chemise de toile commune de Bretagne, et caressait de sa fraîche haleine les chairs grasses du cou trapu de l'aubergiste.

Ceux qui ont lu *François de Bienville,* se rappelleront sans doute que l'illustre Jean Boisdon était le fils du premier hôtelier de Québec, Jacques Boisdon que nous mettons en scène aujourd'hui.

Bien qu'ambitieux, Jacques, premier du nom en Canada, n'avait pas cette soif de gain qui fut si fatale à son sacripant de fils. C'était un brave homme que le gros père Boisdon, aimant à rire à ses heures et à lever le coude... en tout temps. Sous ce dernier rapport, maître Jean, son fils, lui devait ressembler.

Boisdon père aimait bien un peu l'argent, non par vile estime du métal, mais bien plutôt pour les jouissances matérielles qu'il procure. S'il faisait un peu la cour à sa clientèle, c'est qu'il songeait, en lui versant bonne et fréquente mesure, que le menu de ses trois abondants repas quotidiens s'en augmentait d'autant, et que la bonne chère adoucissait singulièrement aussi l'humeur tant soit peu revêche de Perpétue, sa digne épouse.

Comme il achevait d'ouvrir son dernier volet, il entendit le bruit réjouissant des casseroles que sa vaillante moitié agitait à l'intérieur. La seule idée de la belle omelette au jambon de Bayonne, qui l'attendrait bientôt, toute fumante et dorée, sur la table du déjeuner, le fit sourire, et se sentant les jambes engourdies par le sommeil, il enfonça ses deux mains dans les poches profondes de son haut-de-chausses, et fit quelques pas dans la rue pour se dégourdir et se remettre en appétit.

Il allait ainsi, longeant la grande église et se dandinant avec béatitude, vers la demeure de Mgr de Laval, lorsqu'un cri de joyeuse surprise lui échappa.

Ses regards venaient de tomber sur la rade, qui alors était parfaitement visible de la haute ville ; car cet amas de maisons qui s'élèvent maintenant en face du nouveau bureau de poste, ne masquait pas la vue en ces temps reculés, tandis qu'à l'endroit où, quelque vingt-cinq ans plus tard, devait s'élever le premier évêché, il n'y avait qu'une seule maison appartenant au procureur-général, M. Ruette d'Auteuil.

Après un instant de contemplation, il tourna brusquement sur lui-même et se prit à courir ou plutôt à rouler vers son logis. Il arriva chez lui tout essoufflé, et cria en ouvrant la porte de l'hôtellerie :

– Perpétue !... Perpétue !

– Allons ! qu'est-ce qu'il y a ? fit dame Boisdon, qui cassait en ce moment un œuf frais, dont le jaune en se répandant dans la poêle, autour de tranches roses de jambon saupoudrées de brindilles de persil, semblait un petit lac dont les flots d'or baigneraient des îlots de corail et d'émeraude.

Boisdon sentit que l'eau lui en venait aux lèvres.

– C'est bon ! dit-il en clignant de l'œil. Mais au lieu d'une omelette, c'est dix au moins qu'il faut faire.

Dame Boisdon se retourna tout d'une pièce, et se cambrant sur sa hanche droite, le poing armé d'une énorme cuiller, elle repartit d'un ton aigre :

– Comment ! Perds-tu la tête, vieux gourmand ? Dix omelettes pour ton déjeuner !

– Non, non, Pétue, fit Boisdon en passant sa grosse main sous le menton osseux et pointu de sa longue et sèche femme. C'est que, vois-tu... (il était essoufflé) je viens de voir un vaisseau d'outre-mer... qui entre à pleines voiles dans le port... Dans un quart d'heure... il aura jeté l'ancre... Je cours à la basse-ville... et, sur la chaloupe du père Jérôme Thibault... je me rends à bord du bâtiment... ouf !... pour voir s'il y a des gens... qui se retireront chez nous... chose dont je ne doute pas. Allons ! vite mon pourpoint, Pétue, mon pourpoint !

– Eh bien ! laisse-moi le temps d'aller le chercher. Il est en haut, sur le pied de la couchette.

De ses deux longues jambes, Perpétue gravit l'escalier en un clin d'œil et redescendit de même.

– Allons ! bon ! fit l'hôtelier, et il endossa son habit avec quelque difficulté. Fais une dizaine de bonnes omelettes. Il n'est que six heures. Je serai revenu avant huit avec des voyageurs, j'espère. Tu tireras aussi un grand pot de vin d'Espagne, du petit tonneau bleu, tu sais, celui du fond. C'est du meilleur.

Et Boisdon sortit en trottinant.

– Tiens, le voilà qui oublie son chapeau et qui part avec son bonnet rouge sur la tête. Ces hommes ! ils sont tous un peu fous ! Jacques ! Jacques ! dit-elle en se penchant par l'ouverture de la porte entrebâillée.

Mais son mari ne l'entendait pas et courait aussi vite que le lui permettaient ses grosses jambes courtes, vers la rue *qui descendait au magasin.*

Cependant le navire, à haute poupe et aux flancs fortement bombés, venait de jeter l'ancre devant la ville. Des matelots perchés sur les vergues carguaient la dernière voile. Tout sur le pont était en mouvement. Le capitaine donnait ses ordres pour faire descendre les deux chaloupes à l'eau ; des matelots tiraient sur les câbles. On entendait le grincement des poulies, les cris du sifflet du contremaître, et des jurons qui tombaient de la mâture.

Quelques passagers, debout sur la poupe, regardaient avec curiosité les soixante-dix maisons éparses à la basse-ville et sur les hauteurs de Québec, ainsi que les côtes élevées et sauvages qui entouraient la ville et dont les cimes boisées, aux sombres dentelures, se découpaient hardiment sur l'horizon rosé par les feux du soleil levant. Parmi ces émigrés qui avaient ainsi quitté le beau pays de France pour venir apporter à la colonie naissante leur contingent de sueurs et de sang, il en était un surtout, qui se faisait remarquer par sa bonne mine et son grand air. On voyait qu'il était gentilhomme.

Pourtant son costume se ressentait, soit des fatigues du voyage, soit peut-être aussi, et j'incline à croire cette dernière assertion, du frottement par trop prolongé de l'aile du temps. Quoique campé crânement sur l'oreille gauche, son feutre gris avait évidemment dû voir bien du pays et essuyer beaucoup d'orages depuis qu'il était sorti des mains de certain chapelier de Caudebec. Ses larges bords s'affaissaient quelque peu et sa couleur grise primitive tirait singulièrement sur le jaune pâle.

Un pourpoint, sorte de gilet très court, en drap rouge garni de passements d'or un peu ternis, enserrait ses épaules, par dessus lesquelles retombait un ample manteau de route, en drap couleur de musc, que relevait par derrière le fourreau d'une épée retenu sur la hanche gauche par un baudrier encore assez richement brodé d'argent. Entre les deux pans de ce manteau, apparaissaient d'abord le haut-de-chausses, d'une couleur écarlate qui avait dû être vive quelques mois auparavant, mais qui tendait maintenant à prendre une teinte violette, puis les plis bouffants de la chemise, que le peu de longueur du pourpoint laissait librement voir au-dessus du haut-de-chausses. Car la mode du temps le voulait ainsi.

Enfin de lourdes bottes de voyage, à éperons d'argent, et dont l'entonnoir affaissé s'évasait au-dessus du genou, chaussaient ses pieds, petits comme ceux de tout homme de bonne race.

Malgré l'état assez délabré de son costume, notre gentilhomme avait bonne et fière mine. Il était grand, brun, et sa figure longue mais fine accusait vingt-huit ans. Dominée par un nez fortement aquilin, sa lèvre supérieure disparaissait sous une moustache noire, dont les bouts, soigneusement frisés, serpentaient coquettement aux coins de sa bouche ferme et moqueuse, tandis qu'une royale se tordait en spirale sur un menton avancé, dont la forme annonçait un joyeux appétit. La mode de porter la barbe commençait à se passer à la cour du jeune roi, et pourtant les gens de guerre conservaient encore ces belles moustaches du temps de Richelieu, qui donnaient un air si crâne et que les femmes aimaient tant.

– Cap-de-diou ! s'écria-t-il soudain, (car c'était un brave enfant de la Gascogne que le sieur Robert du Portail, chevalier de Mornac) le beau cap !

Et son œil noir et intelligent montait et se promenait sur le Cap-aux-Diamants.

– Mais sangdiou ! la pauvre petite ville que cette capitale où nous venons faire la cour à dame Fortune !

Il disait cela avec ce diable d'accent gascon, unique en son genre, et que nous nous garderons bien de vouloir imiter en ce récit.

Puis, abaissant son regard jusqu'à l'eau :

– Oh ! mais, capitaine, dites donc, quel est ce gros homme coiffé d'un bonnet rouge, et qui emplit à lui seul l'arrière de la chaloupe que l'on voit s'approcher ?

– Ce doit être notre joyeux hôtelier, compère Jacques Boisdon, répondit le capitaine en se penchant sur le bastingage pour mieux examiner ceux qui montaient l'embarcation signalée.

– Celui qui tient l'unique hôtellerie de Québec ?

– Précisément, et, comme je vous l'ai déjà dit, c'est chez lui qu'il vous faudra descendre.

La chaloupe du père Jérôme Thibault arrivait en longeant le navire et la face épanouie de Jacques Boisdon apparaissait souriante au-dessus du ventre rebondi qui, à chaque oscillation du canot, ballottait lourdement sur les genoux de l'aubergiste.

– Mordiou ! la bonne trogne ! ricana le Gascon. Si j'avais sur le chaton de ma bague autant de rubis que ce gaillard en a sur le nez, je pourrais rebâtir le château de Mornac, ce pauvre manoir de mes aïeux dans les ruines duquel nichent en paix les hirondelles. Oh ! cadédis ! la belle outre à gonfler de vin que cette large panse !

En ce moment, plusieurs interpellations, parties de tous les points du vaisseau, indiquèrent au Gascon à quel point l'aubergiste était populaire parmi les marins.

– Hé ! bon jour, père Boisdon. Comment ça va-t-il, vieux cachalot ? Et dame Pétue se porte comme un charme ? Buvons-nous toujours sec, grosse éponge !

Puis une voix grêle qui descendait du bout de la grande vergue :

– Père Boisdon, mes amours ! avons-nous encore de ce bon vieux guildive du petit tonneau rouge. Hé ! dites donc, vieux loup de terre ?

Boisdon, ahuri par tant de questions, levait en l'air sa figure apoplectique et criait de sa voix grasse :

– Bien, mes enfants, merci ! Oui, oui, nous avons encore de fines liqueurs, allez !

– Trois bravos pour Boisdon ! dit le capitaine, qui, depuis son dernier voyage, devait deux écus à l'aubergiste.

Et de quarante gosiers marins sortirent trois vociférations, qui causèrent tant d'émotions à l'hôtelier que sa figure s'empourpra comme s'il allait être frappé d'un coup de sang.

– Chers bons enfants ! murmurait-il, tandis qu'une larme furtive glissait de ses yeux pour se dessécher aussitôt sur sa joue en feu. Allons-nous nous arroser un peu le dalot du cou pendant une quinzaine ! Sapreminette !

Dans ses grands moments de joie, le paisible aubergiste se permettait cet inoffensif juron.

On venait cependant de glisser jusqu'à fleur d'eau une échelle volante, et les passagers se préparaient à descendre dans les chaloupes, lorsque Boisdon cria d'en bas :

– Si quelqu'un de ces messieurs désire loger à l'auberge du Baril-d'Or, qu'il veuille embarquer avec moi.

Mornac fut un des premiers qui se rendit à cette invitation. Un matelot transporta dans la chaloupe du père Thibault une petite valise qui contenait tout le bagage et la fortune du Gascon.

En voyant le mince portemanteau de son hôte, l'aubergiste fit la grimace. Pourtant, lorsque le chevalier mit le pied dans la chaloupe, Boisdon le salua respectueusement et lui dit qu'il était flatté d'avoir l'honneur d'héberger un gentilhomme.

– Qui sait, après tout, s'était dit l'hôtelier, cette valise peut être remplie d'argent, et notre hôte payer libéralement.

Quelques personnes prirent place à côté du chevalier, les autres dans les deux chaloupes du vaisseau, et ces embarcations se dirigèrent, à force de rames, vers l'endroit de la basse-ville où s'élevait encore le magasin construit par Champlain.

Sur le rivage plusieurs gens attendaient les arrivants. Car c'étaient des compatriotes, des amis, des parents peut-être, qu'ils allaient recevoir. Et n'aurait-on pas aussi de récentes nouvelles de France, du bon pays des aïeux dont on conservait si douce souvenance, où les pères dormaient leur dernier sommeil et que les enfants ne reverraient probablement jamais.

Des acclamations, des cris de joie et de reconnaissance, accueillirent les nouveaux venus.

Mornac ne connaissait personne et s'empressait de débarquer avec sa valise, lorsque l'aubergiste héla certain gamin de douze ans, qui, la tignasse ébouriffée, le nez au vent et les mains dans les poches, regardait chacun d'un air effrontément inquisiteur.

– Jean ! cria l'hôtelier, arrive ici, petiot, et monte à la maison le portemanteau de Monsieur.

C'était le fils aîné de Jacques Boisdon, messire Jean dont nous avons raconté, dans *François de Bienville*, les mésaventures si bien méritées.

Jean s'approcha et fit mine de s'emparer de la valise du Gascon.

Celui-ci s'écria :

– Mais l'enfant va s'éreinter !

– Oh ! non, monsieur, repartit l'affreux gamin : ça ne pèse pas le diable, vos bagages, allez !

Et d'un tour de main, il enleva la valise qu'il mit sur son épaule gauche.

– Mordiou ! maroufle ! s'écria le Gascon, prétends-tu te moquer de moi ! C'est que je te couperais la langue, vois-tu !

– Ne lui coupez rien, monsieur le marquis ! s'écria Boisdon. Quoiqu'il n'y paraisse pas, voyez-vous, mon Jeannot est robuste et aime à montrer sa force.

– À la bonne heure, sandis ! répondit Mornac.

– Veuillez me suivre, messieurs, dit Boisdon à ses hôtes, qui prirent avec lui le chemin de la haute-ville, et s'engagèrent dans la rue Sous-le-Fort.

Boisdon fils les suivait par derrière et murmurait entre ses dents, en faisant sauter sur ses épaules le léger portemanteau du Gascon.

– C'est égal, tout de même, ça ne pèse pas beaucoup et ça sonne creux. Mais il faudra dire le contraire pour que Monsieur me donne des sous.

On voit que le satané garçon avait déjà la passion du gain bien développée.

Mornac gravissait lestement la rude montée du fort à la haute-ville. Le poing droit campé sur sa hanche, la main gauche arrêtée sur la garde de son épée, la grande plume rouge de son large feutre frissonnant sous le vent du matin, il s'en allait la tête haute avec un sourire dédaigneux aux lèvres, et contemplait les quelques maisons sombres et d'apparence plus que modeste qui se dressaient çà et là sur son passage.

Il eut pourtant un serrement de cœur lorsqu'il longea le cimetière qui se trouvait alors occuper cette langue de terre qui descend de l'édifice du Parlement vers la côte et où l'on voit encore des pieux de palissade noircis par la pluie et le temps. Quelques petites croix de bois, plantées sur de légers renflements de terrain, rappelaient aux passants que tous, tôt ou tard, doivent aller dormir dans un semblable lit de terre et de gazon jusqu'au grand réveil du jour éternel.

– Est-ce donc ici que je dois laisser mes os ? se dit le chevalier. Bah ! qu'importe, après tout. Et, sandis ! ce ne serait pas encore trop malheureux que de mourir de ma belle mort ; car on dit que dans ce pays, il est plus rare d'expirer dans son lit que sous le fer et le feu des Sauvages.

Pour chasser ces funèbres pensées, il détourna la tête à gauche et regarda les hautes murailles du château Saint-Louis, qui se dressaient fièrement sur le sommet de la falaise.

Comme il arrivait au point culminant de la côte, ses yeux s'arrêtèrent sur le terrain, vaste alors, où s'élèvent aujourd'hui le bureau de poste et le bloc de maisons qui s'étendent en face.

Une trentaine de cabanes d'écorces, faites en forme de cône, s'offraient aux regards ébahis de l'étranger. C'était le « Fort-des-Hurons ».

Ces wigwams servaient d'abri aux quelques infortunés descendants de la grande nation huronne, qui, naguère encore régnait en souveraine sur les immenses forêts du Canada.

Décimés, presque anéantis par les Iroquois, qui de 1648 à 1650, avaient porté le massacre et la destruction dans les bourgades de Saint-Joseph, de Saint-Ignace, de Saint-Louis et de Saint-Jean, les malheureux Hurons avaient dit adieu aux bords du beau lac qui sera seul à garder leur nom, et s'en étaient venus chercher un refuge aux environs de Québec. Il y avait à peine quelques années qu'ils respiraient en paix dans l'île d'Orléans, lorsque le tomahawk iroquois s'en vint les relancer dans un endroit où les malheureux s'étaient crus un instant à l'abri de la haine implacable de leurs mortels ennemis. Beaucoup furent tués, la plus grande partie emmenés en captivité. Ceux-là seuls qui purent s'échapper, c'était le petit nombre, accoururent implorer la pitié des Français et se placer sous la protection immédiate des canons et des mousquets d'Ononthio, c'est-à-dire sous les murs mêmes du Château-du-Fort. Ce n'est que vers 1676 que les restes infimes d'une nation, autrefois si puissante et si fière, enlevèrent leurs wigwams du Fort-des-Hurons pour aller s'établir à Sainte-Foye, trois ou quatre milles à l'ouest de Québec. Quelques six années plus tard, le gibier des bois voisins étant épuisé, ils allèrent se fixer à trois lieues de Québec, à la Vieille-Lorette, où le dernier vrai Huron repose maintenant sous la terre de l'oubli.

Mornac regardait avec surprise le camp des Sauvages. De légers flocons de fumée blanche sortaient en spirale par le haut des wigwams, dont les pans d'écorce de bouleau se paraient de peintures bizarres représentant les insignes du maître qui l'habitait. La plupart des animaux du pays, depuis l'ours et le loup jusqu'à la loutre et le rat-musqué, y défilaient paisiblement sous les yeux surpris du Français. À la porte des cabanes, les hommes, à moitié nus, fourbissaient leurs armes, façonnaient des flèches ou repassaient des peaux d'animaux récemment tués. Plus loin, des jeunes gens s'exerçaient à sauter ou à lancer des flèches. Ici, les vieilles femmes s'occupaient des apprêts du frugal repas du matin, tandis que de plus jeunes berçaient un nourrisson dans leurs bras nus en chantant un air triste et doux. Quelques jeunes filles, attirées par le passage des arrivants, se tenaient tout près de la palissade qui entourait le fort des Hurons. Leur œil ardent et noir brillait entre les pieux de l'enceinte, en se fixant sur le chevalier de Mornac, dont la bonne mine et la fière moustache faisaient battre bien vite le cœur de plus d'une d'entre elles.

Le galant gentilhomme rêvait déjà la conquête de ces yeux noirs, dont le trait de flamme l'avait transpercé, lorsque Boisdon, ouvrit à ses hôtes la porte de l'auberge.

Comme le lecteur ne tient guère aux détails du déjeuner de l'hôtellerie Boisdon, nous le prierons de nous suivre au second étage de la taverne du Baril-d'Or, où Boisdon avait conduit le chevalier, dans une chambre dont la fenêtre donnait sur la grande place de l'église.

Il pouvait être dix heures. Réconforté par un déjeuner substantiel, où le bon vin n'avait certes pas fait défaut, Mornac se tenait accoudé sur la tablette de la fenêtre ouverte et regardait au dehors.

Ses yeux, après s'être promenés sur le collège des Jésuites, dont le long mur de façade, percé d'une double rangée de croisées, descend vers la rue de la Fabrique, erraient sur l'embouchure de la rivière Saint-Charles ; l'espace sur lequel s'élèvent aujourd'hui le séminaire et l'Université Laval, ainsi que toutes les maisons comprises entre les remparts, les rues de la Fabrique et Saint-Jean et l'Hôtel-Dieu, n'existant pas encore à cette époque. Tout ce vaste terrain, jusqu'à la grève, était encore la propriété des héritiers du sieur Guillaume Couillard, époux de Guillemette Hébert, fille du premier colon de Québec. M. Couillard était mort l'année précédente, le 4 mars 1663, et sa veuve demeurait dans l'unique maison qui s'élevait sur la propriété. Ce n'est que quelques années plus tard que Mgr de Laval devait acheter ce terrain pour y fonder un séminaire.

Il y avait quelque temps que Mornac laissait errer ses regards de la rivière Saint-Charles au fleuve et du fleuve aux grandes montagnes du Nord qui se coloraient d'une teinte bleu-rougeâtre sous le soleil de cette matinée d'automne, quand un bruit de voix et un mouvement inusité appelèrent l'attention de l'étranger sur la grande place.

Une trentaine de personnes, des enfants et des jeunes gens, suivaient un groupe de dix hommes bizarrement accoutrés, sur lesquels la curiosité du chevalier se concentra.

Leur tête était nue et leurs cheveux, rasés sur le haut du front, étaient relevés sur le crâne et réunis en une touffe du milieu de laquelle s'échappait une plume d'aigle. Leur visage dont les pommettes saillantes et le teint cuivré indiquaient les enfants de la race aborigène de l'Amérique septentrionale, était curieusement bariolé de couleurs éclatantes. L'un avait le nez peint en bleu, l'autre en rouge, un troisième en jaune ; un quatrième avait toute la figure noire comme de la suie, à l'exception du menton, des oreilles, et du front, de sorte qu'on l'aurait cru masqué. D'autres avaient de simples lignes de couleurs diverses, qui leur couraient en zigzag sur le front, le nez et les joues. Leur cou, le buste et les bras étaient nus et aussi tatoués de couleurs voyantes, qui représentaient les insignes de leur tribu et de leurs exploits. Des colliers de grains de porcelaine et de griffes d'ours, de loup et d'aigle entouraient leur cou et retombaient sur leur poitrine nue. Une peau de daim, dont le bas était découpé en frange, leur enserrait la ceinture, où reposaient le tomahawk, ainsi que le couteau à scalper, et descendait jusqu'au genou. La jambe et le pied étaient couverts d'un bas-de-chausses aussi en peau de daim, dont la couture disparaissait sous une frange aux longues découpures s'agitant à chaque pas. Retenue sur la poitrine par une courroie, une robe de peau de castor, de vison, de loutre ou de martre, leur tombait des épaules jusqu'au jarret. Du haut en bas de cette sorte de manteau d'un très grand prix, étaient teintes de longues raies, également distantes et larges d'environ deux pouces ; on aurait dit des passementeries. Au bas de la robe les queues de vison, de martre ou de loutre pendaient en franges soyeuses, tandis que la tête de ces animaux était fixée en haut pour servir d'une espèce de rebord.

Ces hommes, le chef en tête, marchaient gravement et sans daigner regarder la foule de curieux qui les suivaient.

– Cap de diou ! se dit Mornac avec des yeux tout grands de surprise, voici bien de curieux personnages !

Et se penchant hors de la fenêtre, il apostropha Boisdon, qui parlait avec emphase au milieu de quelques-uns de ses nouveaux hôtes que l'étrangeté du spectacle avait attirés à la porte de l'auberge.

– Père Boisdon !

– Monsieur le comte ? fit le digne homme, qui leva vers la fenêtre sa figure empourprée par la bonne chère et le vin.

– Quels sont donc ces drôles ?

– C'est une députation d'Iroquois que M. le Gouverneur doit recevoir ce matin.

– Oh ! oh ! sandiou ! ce sont là ces croque-mitaines qui font tant de peur aux grands enfants de la Nouvelle-France !

Puis, à demi-voix :

– Mais à propos du Gouverneur, n'est-il pas temps de lui demander audience afin, d'abord, de lui remettre des dépêches de la cour, et ensuite de le prier de s'intéresser en ma faveur ?

– Monsieur Boisdon ! cria-t-il de nouveau.

– Qu'y a-t-il à votre service, monsieur le comte ?

– Pouvez-vous me faire conduire au château Saint-Louis ?

– Certainement. Jean, holà ! Tu vas guider M. le comte au château.

Le gamin, qui espérait entrer à la suite du gentilhomme et assister ainsi à la réception des Iroquois, accepta avec enthousiasme.

Mornac sortit les dépêches de sa valise, les mit dans la poche de son pourpoint, reprit son épée qu'il avait quittée pour se mettre à table, descendit dans la rue et suivit Boisdon fils. Celui-ci, fier d'escorter un gentilhomme et de se rendre au château, jetait des regards vainqueurs sur les connaissances de son âge qui flânaient dans la rue et contemplaient avec envie leur heureux ami Jean Boisdon.

II

Harangues et pirouettes

La résidence des gouverneurs français, appelée Château-du-Fort ou Saint-Louis, s'élevait sur les fondations mêmes qui soutiennent encore aujourd'hui la terrasse Durham. Commencé par Champlain, le château avait été peu à peu agrandi, amélioré, fortifié par M. de Montmagny et ses successeurs. Dominant la basse-ville et perché sur le bord de la falaise, à cent quatre-vingts pieds au-dessus du fleuve, le donjon formait un grand corps de logis de deux étages, ayant cent vingt pieds de longueur, aux deux pavillons qui composaient des avant et arrière-corps.

Sur la façade du bâtiment régnait une longue terrasse, qui surplombait le cap et communiquait de plein pied avec le rez-de-chaussée.

Un grand mur d'enceinte, flanqué de deux bastions, mais sans aucun fossé, défendait le château du côté de la ville.

À cette époque, le gouverneur-général était M. de Mésy, vieux militaire et ancien major de la citadelle de Caen. Son prédécesseur, M. d'Avaugour, ayant été rappelé en France par suite des démêlés qu'il avait eus avec Mgr de Laval, au sujet de la traite de l'eau-de-vie, l'évêque de Québec avait demandé à la cour de choisir lui-même le futur gouverneur ; ce qui lui avait été accordé. Le prélat avait désigné M. de Mésy, l'un de ses anciens amis. Mais il se repentit bientôt de son choix. Car à peine le nouveau gouverneur fut-il arrivé à Québec, que la guerre éclata entre l'évêque et lui. L'élection du syndic des habitants mit le feu de la discorde au sein du Conseil Souverain. La plus grande partie du Conseil était opposée au principe électif et repoussa trois fois l'élection du syndic. Pour faire triompher ses idées, certainement plus libérales alors que celles de la majorité dirigée par l'évêque, le gouverneur suspendit plusieurs membres de leurs fonctions, et força le procureur-général Bourdon, ainsi que le conseiller Villeraye, à s'embarquer pour l'Europe.

Quoiqu'on ne puisse approuver l'opportunité de ces mesures, il résulte de tous ces tiraillements et des scènes violentes qui s'ensuivirent entre le gouverneur et l'évêque, que si M. de Mésy se montra trop ardent, trop emporté, trop irréfléchi dans ses procédés, Mgr de Laval, de son côté, ne mit peut-être pas assez de soin à se concilier l'esprit altier de son ex-ami par quelques concessions habiles. D'ailleurs les querelles que le même prélat eut plus tard avec M. de Frontenac, prouvent que monsieur l'évêque, ainsi qu'on disait alors, était très entier dans ses opinions, et que le sang royal qui coulait dans ses veines s'échauffait fort facilement dès qu'on faisait mine de froisser, tant soit peu, les idées éminemment autocratiques qu'il tenait de son auguste cousin Louis XIV.

Mornac s'était fait annoncer et venait d'être introduit auprès du gouverneur, qui avait ordonné de le faire entrer immédiatement en apprenant que le gentilhomme était porteur de dépêches de la cour.

Après l'avoir salué cordialement et avoir reçu des mains du chevalier le pli scellé des armes royales, M. de Mésy pria son hôte de s'asseoir.

D'une main dont il s'efforçait en vain de dissimuler l'agitation, M. de Mésy rompit le cachet du message de Colbert, et se mit à parcourir la lettre d'un regard fiévreux.

Mornac le regardait. Soudain il le vit pâlir, tandis que ses doigts crispés froissaient la dépêche.

Colbert, au nom du roi, reprochait vertement à M. de Mésy ses violences envers l'évêque et le conseil, et lui annonçait que M. le marquis de Tracy, MM. de Courcelles et Talon, étaient chargés de faire son procès dès leur arrivée à Québec.

Une larme d'indignation glissa sur la joue ridée du vieux soldat. Un éclair enflamma ses yeux. Il fut près d'éclater. Mais il se maîtrisa presque aussitôt en se rappelant qu'il n'était pas seul. Puis, après avoir avalé un sanglot prêt à lui échapper, il poursuivit la lecture de la dépêche. On lui annonçait le prochain départ du régiment de Carignan pour le Canada, tout en lui enjoignant de ne faire aucune concession aux Iroquois, vu que les secours de troupes qu'on allait envoyer à la Nouvelle-France, mettraient bientôt les colons en état de dompter la fierté des Cinq Cantons.

Enfin Colbert recommandait le chevalier de Mornac à M. de Mésy.

Celui-ci, qui avait eu le temps de se remettre un peu, dit au gentilhomme :

– Soyez certain, monsieur le chevalier, que je ferai tout en mon pouvoir pour vous être utile. Malheureusement, je ne vois guère la possibilité de vous obliger immédiatement. Revenez dans peu de jours et nous verrons à vous donner quelque chose à faire, soit pour le service du roi, soit dans la traite des pelleteries pour votre propre compte.

Mornac s'inclina et remercia le gouverneur.

– Maintenant, reprit ce dernier, il me faut donner audience à une députation d'Iroquois, dont je n'augure rien de bien satisfaisant. Souhaiteriez-vous d'assister à cette assemblée, Monsieur de Mornac ?

– Je vous serais infiniment obligé de m'y autoriser.

– Veuillez alors venir avec moi.

Le gouverneur, suivi de Mornac, se dirigea vers la grande salle du château.

La plupart des notables de Québec s'y trouvaient déjà réunis, lorsque MM. de Mésy et Mornac y entrèrent.

C'était d'abord le supérieur des Jésuites (l'évêque avait refusé de s'y rendre), les conseillers, l'épée au côté comme leur charge leur en donnait le droit, puis le procureur-général Denis-Joseph Ruette, sieur d'Auteuil, MM. Le Vieux de Hauteville, lieutenant général de la sénéchaussée, Louis Péronne de Mazé, capitaine de la garnison du fort de Québec et conseiller, Aubert de la Chenaye, commis général, Charles Le Gardeur de Tilly, J.-Bte. Le Gardeur de Repentigny, Claude Petiot des Corbières, chirurgien, Blaise de Tracolle, médecin, et bien d'autres dont les noms m'échappent.

Comme la députation iroquoise ne s'était pas encore fait annoncer, M. de Mésy présenta le chevalier de Mornac à l'élite de la société québecquoise (sic), réunie au château. On fit le plus bienveillant accueil au jeune homme, que M. Ruette d'Auteuil invita même à aller passer la soirée chez lui, en compagnie de quelques amis qu'il devait réunir.

Mornac accepta avec joie, se montra sensible à tous ces bons procédés, et commençait à répondre au grand nombre de questions qu'on lui posait sur l'état de la France lors de son départ, quand la porte s'ouvrit pour donner passage aux députés iroquois.

Le silence se fit dans la grande salle ; le chef de la députation s'avança vers M. de Mésy, aux côtés duquel s'étaient rangées les personnes que nous avons mentionnées plus haut.

C'était un fameux capitaine agnier que ce chef, et redoutable autant par sa bravoure que par son épouvantable cruauté. Des Français, qui avaient été prisonniers dans le grand village agnier, avaient surnommé ce farouche guerrier, Néron. Il avait autrefois immolé quatre-vingts hommes aux mânes d'un de ses frères, tué en guerre, en les faisant tous brûler à petit feu, puis en avait massacré soixante autres de sa propre main. Pour perpétuer le souvenir de cette horrible hécatombe, il en avait fait « tatouer les marques sur sa cuisse qui, pour ce sujet, paraissait toute couverte de caractères noirs ».

Le nom qu'il avait reçu de sa famille était Griffe-d'Ours. Mais celui qui lui plaisait le plus et qu'il s'était donné lui-même était la *Main-Sanglante.*

Bien qu'elle dépassât la moyenne, sa taille n'était pas très élevée ; mais larges étaient ses épaules, et tout du long de ses bras l'on voyait s'entrecroiser des réseaux de muscles puissants. Sur un cou épais reposait une grosse tête, au front et au menton fuyants. Les yeux petits et bruns, brillaient à fleur de l'orbite, tandis que le nez écrasé semblait se confondre avec la bouche, saillante et carrée comme le museau d'une bête fauve. En un mot, c'était une vraie tête d'ours plantée sur un corps d'homme, à la charpente lourde et aux appétits féroces comme l'animal auquel il ressemblait.

Malgré le tatouage qui couvrait sa figure, et ses cheveux rasés sur la plus grande partie du crâne, l'Iroquois paraissait avoir quarante ans.

Le hasard avait voulu que le chef agnier appartînt à la tribu de l'Ours. Aussi Griffe-d'Ours portait-il bien son nom. Quant à celui de Main-Sanglante, on sait déjà s'il était usurpé.

Le gouverneur s'assit dans un fauteuil, et sa suite à ses côtés ; les députés iroquois s'assirent sur une natte, aux pieds de M. de Mésy, pour marquer plus de respect à Ononthio.

Tout le milieu de la place était vide, afin que l'orateur iroquois pût faire ses évolutions sans embarras. L'éloquence des Sauvages exigeait beaucoup de mouvement, et s'exprimait autant par des gestes très animés, même des bonds, que par la parole.

L'un des Iroquois, porteur d'un long calumet tout bourré de pétun, l'alluma et le présenta au chef. Celui-ci le prit, fuma gravement quelques bouffées, et passa la pipe au gouverneur, qui dut en faire autant. Lorsque le calumet de paix eut circulé par toutes les bouches françaises, il revint aux Iroquois, qui achevèrent de consumer le tabac qu'il contenait.

Durant ce temps, Mornac s'essuyait la bouche à la dérobée.

– Mordiou ! grommelait-il, c'est un cérémonial assez malpropre que celui-là !

Les Iroquois avaient apporté vingt colliers de grains de porcelaine, qui représentaient les différentes propositions à faire. Toutes avaient rapport à la paix dont la conclusion faisait l'objet de cette ambassade. Chaque collier avait une signification particulière. L'un aplanissait les chemins, l'autre rendait les rivières calmes, un troisième enterrait les haches de guerre, d'autres signifiaient qu'on se visiterait désormais sans crainte et sans défiance, les festins qu'on se donnerait mutuellement, l'alliance entre toutes les nations, et le reste.

Griffe-d'Ours s'expliquait passablement en français. Il l'avait appris des nombreux captifs que les Agniers emmenaient dans leur bourgade.

Il se leva lorsque la pipe fut éteinte, et prit un collier, qu'il présenta au gouverneur en lui disant :

« Ononthio, prête l'oreille à ma voix ; tous les Iroquois parlent par ma bouche. Aucun mauvais sentiment ne se cache en mon cœur, et mes intentions sont droites comme la flèche d'un guerrier. Nous savions bien des chansons de guerre (nos mères nous en ont bercés) ; mais nous les avons toutes oubliées, et nous ne connaissons plus que des chants de paix et d'allégresse. »

Il s'arrêta et se mit à chanter. Ses collègues, s'étant aussi levés debout, marquaient la mesure avec leur *hé !* qu'ils tiraient du fond de leur poitrine, se promenaient à grands pas et gesticulaient d'une étrange manière.

Mornac ouvrait des yeux grands comme des piastres d'Espagne, et retenait à grand-peine un fou rire qui lui chatouillait la gorge.

Au bout de quelques instants, le chant cessa ; les Iroquois se rassirent, à l'exception de Griffe-d'Ours, qui continua sa harangue en ces termes :

« Voyant la sincérité de ses enfants, Ononthio leur fera sans doute l'honneur de vouloir travailler à la paix dans leurs cabanes. Ce n'est pas que nous soyons forcés de la demander. Oh ! non. Nos guerriers sont venus plus souvent jeter leurs cris de guerre aux portes de vos bourgades que nous n'avons vu les soldats blancs du haut des palissades de nos villages.

« Celui qui a fait le monde m'a donné la terre que j'occupe ; j'y suis libre ; nul n'a le droit de m'y commander ; mais personne ne doit trouver mauvais que je mette tout en usage pour empêcher que la terre ne soit continuellement troublée. Nous sommes las d'un massacre d'hommes qui devraient vivre en frères. Nos bras se refusent à frapper davantage, et nos haches de guerre glissent de nos mains engourdies, et retombent sans force sur le bord du sentier. Sans nous baisser pour les ramasser, nous venons trouver notre père Ononthio ; et, moi, qui parle au nom de tous, je me lève, je lui tends ce collier et lui dis : accepte-le, mon père, et nos haches se couvriront de terre, et les enfants ne sachant plus où les retrouver, les laisseront se rouiller dans l'inaction pour toujours. »

Il prit successivement dix-sept autres colliers, et se donna beaucoup de mouvement pour en expliquer la destination. Tantôt il se baissait comme pour arracher une pierre ou un tronc d'arbre du milieu d'un sentier, afin de signifier que le chemin allait être aplani par la paix ; tantôt il feignait de ramer longtemps, ce qui voulait dire que les rivières couleraient désormais paisibles depuis Agnier jusqu'à Québec, sans qu'aucune embûche n'en en troublât le parcours.

Rien qu'à le voir se démener ainsi, Mornac suait à grosses gouttes.

– Drôle d'éloquence, sandis ! pensait-il.

Enfin Griffe-d'Ours s'empara du dernier collier et dit sur un ton plus triste :

« Tandis que je venais trouver mon père, il me semblait entendre des voix plaintives qui s'élevaient de terre. D'abord, je crus m'être trompé ; je ne voyais que l'herbe qui poussait verte et serrée sur les bords du sentier dans lequel mon pied marchait librement. Les mêmes lamentations déchirant toujours mon oreille, je m'arrête encore. Je me penche vers la terre et j'entends plus distinctement ces voix. Elles s'écriaient : « Mon fils, mon frère, mon cousin chéri, ne reconnais-tu donc pas la voix de tes parents couchés sur le sentier de guerre par les balles des blancs ? Oh ! oui, n'est-ce pas ? car tu t'en vas nous venger ? » Non, chers parents, répondis-je, en contenant les transports de ma douleur. Vous n'avez été déjà que trop vengés. Si Ononthio penchait aussi son oreille vers le gazon qui verdoie aux alentours de ses villages, les cris de ses enfants que nous avons immolés feraient aussi saigner son cœur, et la guerre n'aurait plus de fin. Aussi m'en vais-je le trouver et lui dire : « Mon père, si ceux qui sont déjà morts se plaignent tant, que sera-ce donc, si nos combats durent encore de longues années ? Les sanglots des trépassés deviendront si bruyants que notre sommeil même en sera troublé, et leurs sollicitations de vengeance si pressantes que la guerre ne finira que par l'extinction de l'une ou de l'autre race. »

« Me voici, et je jette cette pierre (il montrait le dernier collier,) sur la sépulture de ceux qui sont morts pendant la guerre, afin que personne ne s'avise d'aller remuer leurs os, et qu'on ne songe plus à les venger. »

Cette fière harangue indique à quel point en était arrivée la morgue iroquoise par suite du succès des armes des Cinq Cantons.

Aussi, malgré les ouvertures de paix présentées par la députation, M. de Mésy, qui savait combien de fois les Français avaient été trompés par de semblables propositions, se leva, après avoir consulté ceux qui l'entouraient, et répondit :

« Je suis touché de la démarche de mes fils, et je la veux bien croire sincère ; mais comment se fait-il que vous prétendiez parler au nom des Cinq Cantons tandis que je ne vois ici que des envoyés d'Agnier, de Goyogouin et de Tsonnontouan ? Si les cinq grandes tribus iroquoises demandent la paix, pourquoi n'y en a-t-il que trois qui m'aient envoyé des ambassadeurs ? »

Griffe-d'Ours ne répondit pas, le gouverneur reprit :

« Le grand chef des Agniers a bien eu raison de dire que les Iroquois n'ont malheureusement que trop massacré de Français ; et si vous voulez apaiser les mânes de vos parents, nous ne saurions calmer celles de nos frères que vous assassinez traîtreusement chaque jour. Les lamentations de mes fils trépassés ont traversé l'Océan. Le grand Ononthio, mon maître, les a entendues par-delà l'immense lac salé. Il vient de m'écrire qu'il enverra bientôt à ses enfants du Canada une troupe de guerriers assez nombreuse pour aller raser vos bourgades, massacrer tous vos combattants et amener captives à Québec les femmes des Cinq Cantons pour nous aider à cultiver nos champs.

« Je ne saurais donc rien conclure maintenant. Lorsque nos troupes seront arrivées, si vous voulez vraiment la paix, revenez alors, accompagnés des députés des Cinq Cantons, en ayant soin d'amener avec vous des otages pour la garantie des négociations, et des présents pour apaiser les parents de ceux qui sont tombés sous vos coups. Alors le grand Ononthio décidera. »

– Tes enfants, repartit Griffe-d'Ours, n'étaient pas assez nombreux, et trop étroit était leur canot pour t'apporter des présents. Mais voici trois de mes frères d'Agnier, de Goyogouin et de Tsonnontouan qui veulent bien rester avec toi comme otages.

– Ils sont les bienvenus, répliqua le gouverneur, et je les traiterai comme s'ils étaient mes fils, pendant toute la durée de leur séjour près de moi.

« Maintenant, que le chef et les guerriers qui l'accompagnent veuillent bien passer avec moi sur la terrasse du château, afin qu'on dresse ici la table d'un repas que je leur offre au nom d'Ononthio ! »

M. de Mésy tenait à bien traiter les députés.

Puis, s'adressant aux gens de sa suite :

– Vous voudrez bien, Messieurs, vous joindre à nous.

Un valet ouvrit les deux battants de la porte qui donnait sur la terrasse, et M. de Mésy s'effaça pour laisser défiler ses hôtes. Le dernier d'entre eux, il y en avait au moins trente, venait à peine de mettre le pied sur la galerie, lorsqu'un craquement prolongé se fit entendre sous leurs pas.

Instinctivement chacun veut se précipiter vers la porte. Mais ce brusque mouvement achève de briser les poutres vermoulues de la terrasse, qui, trop vieille et trop faible pour supporter autant de monde, s'effondre avec fracas sur le flanc de la falaise.

Un grand cri d'effroi retentit, et tous, militaires, conseillers et

Sauvages, tombent, roulent pêle-mêle avec les tronçons de la terrasse, qui s'écroule sur le roc à vingt pieds de hauteur.

Seul, le gouverneur, qui allait suivre ses hôtes, est resté dans l'embrasure de la porte, un pied dans le vide. Pâle, il se jette promptement en arrière, et regarde avec stupeur cet amas d'hommes et de débris qui grouillent à ses pieds.

Heureusement qu'à cette époque le flanc de la falaise était encore garni de quelques arbres et d'arbustes, qui arrêtèrent la chute de la galerie ; car si le roc eût été dénudé comme aujourd'hui, ils eussent été précipités à plus de cent quatre-vingts pieds.

Tous ceux qui étaient tombés s'accrochaient aux branches et aux racines pour s'empêcher de glisser sur la pente rapide du rocher. Au-dessus des clameurs générales retentissaient les sonores jurons de Mornac. Précipité d'en haut l'un des premiers, le Gascon avait reçu tout le choc et le poids du corps de Griffe-d'Ours, qui lui était tombé à califourchon sur les épaules.

– Mordious ! s'écriait-il en se démenant comme un diable, allez-vous bien descendre de sur mon dos ! Eh ! là, sandis ! Monsieur le Sauvage, vous n'êtes pas une plume, savez-vous ! Cap-de-dious ! vous m'éreintez !...

Un soubresaut désarçonna son cavalier, qui, surpris de la brusque dégringolade de la galerie et saisi d'un soupçon de trahison, tira tout aussitôt de sa gaine le couteau à scalper qu'il portait à la ceinture, et fit mine de se jeter sur le chevalier.

– Tout beau ! Monsieur l'Iroquois ! s'écria Mornac en dégainant aussi, parce que nous avons failli nous rompre le col ensemble, faudra-t-il maintenant nous couper la gorge ?

Un éclair de réflexion démontra à Griffe-d'Ours que la chute de la galerie, qui avait indistinctement entraîné avec elle Sauvages et blancs, ne provenait que d'un simple accident, et il rengaina son couteau.

Mornac grommelait tout en se retenant aux branches d'un sapin rabougri :

– Par la corbleu ! le guignon me poursuit jusqu'ici ! Je croyais pourtant bien qu'il m'avait lâché à Brest, où j'ai perdu, sur une carte, la veille de mon départ, les dernières mille pistoles, ou à peu près, qui me restaient de tout l'héritage de mes vénérables aïeux !

Il fut interrompu dans ses réflexions mélancoliques par un nouveau cri d'effroi.

Penchés sur la cime du roc, les acteurs de cette scène tragi-comique regardaient en bas.

Mornac se pencha comme les autres.

Il vit trois des Sauvages de l'ambassade qui glissaient sur la pente de la falaise avec une rapidité vertigineuse. Les malheureux avaient cependant gardé tout leur sang-froid, car ils descendaient sans rouler, et restaient assis en se retenant à chaque branche, à toute racine, à la moindre aspérité de rocher, qui faisaient saillie sous leurs mains.

En trois secondes, ils touchèrent la base du roc et se relevèrent sains et saufs.

Mais le merveilleux ne devait pas en rester là. Car bien loin de s'arrêter et de se tâter pour constater s'ils sont intacts dans tous leurs membres, les trois Iroquois bondissent aussitôt sur leurs pieds, courent avec d'énormes enjambées dans la rue Champlain, et se glissent entre les maisons, encore clairsemées à cette époque, pour apparaître bientôt après sur la grève du Cul-de-Sac.

Là, couchés sur le flanc, dormaient les légers canots d'écorce des ambassadeurs iroquois.

En prendre un sur leurs épaules et le porter, toujours au pas de course, jusqu'à l'eau du fleuve, est pour eux l'affaire d'un moment. Les trois Sauvages, se retournant vers la ville, jettent alors trois cris de défi, qui montent en hurlements prolongés vers le château. Puis ils sautent dans la pirogue, saisissent les avirons, et, d'une main prompte et sûre font bondir en avant le canot, qui fend l'onde avec la rapidité de la flèche et disparaît en un instant derrière l'angle abrupt du Cap-aux-Diamants.

Ceux qui s'enfuyaient ainsi avec tant de précipitation, étaient les trois otages que Griffe-d'Ours avait dit devoir rester avec M. de Mésy.

Un quart d'heure après, les autres acteurs de ce drame, qui avait failli tourner à la tragédie, s'époussetaient dans la salle du château en riant de leur mésaventure. À part quelques contusions reçues, personne n'était sérieusement blessé.

III

Gasconnades et sauvageries

– À votre santé, chef, s'écria Mornac en vidant d'un seul trait un grand gobelet de vin d'Espagne.

– Oah ! répondit Griffe-d'Ours en l'imitant.

Il était trois heures de l'après-midi.

Un gai rayon de soleil qui tombait sur les fenêtres de l'hôtellerie de Jacques Boisdon, venait se jouer sur le bord luisant des gobelets d'étain et d'un lourd broc, rempli de vin, reposant sur une table massive, auprès de laquelle étaient assis le chevalier Robert de Mornac et le chef agnier Griffe-d'Ours surnommé la Main Sanglante.

Vivement éclairées par la gerbe de lumière, qui faisait étinceler comme autant de rubis les gouttelettes de vin rouge répandu sur la table, les figures du gentilhomme et de l'Iroquois présentaient le plus curieux contraste. Animé par la douce chaleur du vin, le visage de Mornac exhalait un air de gaieté satisfaite et spirituelle. Les longues boucles de ses cheveux frisés en torsades frissonnaient de plaisir sur ses tempes et son front ouvert, tandis que sa longue moustache brune semblait se tordre d'aise et sourire au contact de la fine liqueur qui empourprait ses lèvres.

Au contraire, la figure luisante et tatouée du Sauvage respirait cet abrutissement féroce que les boissons spiritueuses produisent habituellement sur les organisations vulgaires et brutales. Les lèvres de l'Iroquois se crispaient sur ses dents ; les pommettes saillantes de ses joues peintes en bleu, prenaient une teinte violacée par suite de la pression du sang sous cette couche de fard, tandis que ses yeux, démesurément ouverts, s'injectaient de fibrilles rouges et que sa touffe de cheveux, droite sur le sommet du crâne et surmontée d'une longue et noire plume d'aigle, s'agitait menaçante à chaque mouvement de tête.

Inconsidéré dans ses désirs, suivant toujours l'impulsion du moment, Mornac s'était imaginé, au sortir du Château Saint-Louis, d'emmener Griffe-d'Ours à l'auberge et de le faire boire, afin, s'était-il dit, de constater combien une brute d'Iroquois pouvait tenir de mesures de vin. De la conception à la réalisation de ce beau dessein, Mornac ne laissa pas s'écouler une minute. L'idée lui en paraissait très drôle, et le Gascon ne reculait jamais devant un caprice de sa folle imagination.

Il avait bien eu aussi la pensée vague de faire parler le Sauvage sur les mœurs et les usages des Iroquois, dont l'étrangeté de costume et de langage, jointe à la terrible réputation dont ils jouissaient jusqu'en France, avaient excité au plus haut point sa curiosité. Mais à peine était-il attablé depuis cinq minutes avec le chef agnier, qu'il s'aperçut qu'il n'en pourrait rien tirer. Car celui-ci (on connaît la terrible passion des Sauvages pour les boissons enivrantes) avait absorbé le vin qu'on lui offrait si volontiers, d'une manière à s'affaisser bientôt sous l'ivresse.

À toutes les questions de Mornac, il répondait par un regard de bête fauve, remplissait son gobelet, le vidait d'un seul coup et glapissait d'une voix rauque : Oah !

Quelques buveurs, attablés dans un coin plus sombre de la taverne, regardaient avec stupeur cette scène étrange, et se demandaient si le féroce enfant des bois n'allait pas, dans son ivresse, se jeter sur eux pour les égorger.

Seul, Mornac ne semblait nullement songer qu'il courait un danger, et son œil curieux se promenait sur son étrange vis-à-vis, tandis que sa main longue, mais fine, jouait avec les boucles soyeuses de sa chevelure.

– Ces longs cheveux de mon frère blanc feraient un beau scalp, bégaya tout à coup Griffe-d'Ours entre deux hoquets.

– Tu crois, mon vieux ! repartit le Gascon en éclatant de rire. Si ma chevelure te plaît de la sorte, je t'assure, mordieu ! que j'y tiens, pour le moins, autant que toi ; et cette longue épée, que voici partage absolument, sur ce point, ma manière de penser.

– Oah ! ricana Griffe-d'Ours.

– Oah ! répéta Mornac en caressant le pommeau d'argent ciselé de sa bonne lame.

Un éclair courut sur la prunelle fauve du Sauvage, qui étendit soudain le bras vers le chevalier, mais se contenta pourtant de saisir le broc de vin rouge et d'en verser ce qu'il contenait dans son gobelet, qu'il vida les yeux fixés sur le Gascon.

– Holà ! père Boisdon ! s'écria Mornac, en frappant la table avec le cul du broc. À boire, respectable hôtelier ! l'air de la Nouvelle-France me dessèche la gorge.

– Par saint Jacques, mon patron vénéré, murmura le timoré Boisdon, à l'oreille du jeune homme, vous allez, bien sûr, être cause d'un malheur, monsieur le chevalier ! Ne voyez-vous pas qu'il est gris ?

– Sois tranquille ; avant dix minutes je le saoule et le couche sous la table. J'en ai terrassé de plus forts, va, cap-de-dious !

– Mon Dieu ! mon Dieu ! que va-t-il arriver ! soupira Boisdon en descendant à la cave.

Et dans le coin sombre, les buveurs ne buvaient plus. Ils auraient bien voulu sortir ; mais l'Iroquois se trouvait près de la porte, et ils craignaient qu'il ne vînt à se jeter brusquement sur eux.

Boisdon s'approcha timidement de la table, dont il s'éloigna aussitôt après y avoir déposé le broc demandé.

Mornac remplit le gobelet du Sauvage, ainsi que le sien qu'il but, en savourant chaque gorgée avec de petits claquements de langue approbateurs.

Le regard du Sauvage se fixait de plus en plus sur la tête du gentilhomme. Par trois fois il remplit et vida son gobelet sans quitter des yeux les boucles frisées du chevalier.

– À la longue vieillesse de ma chevelure, fit Mornac qui but un rouge bord, et puisse-t-elle blanchir en paix sur mon crâne !

À ce défi, Griffe-d'Ours poussa un rugissement et s'élança vers Mornac en brandissant son couteau.

Il avait grand-peine à se tenir sur ses jambes.

Prompt comme l'éclair, le Gascon lui saisit le poignet qu'il lui tordit en l'attirant vers la terre.

Le Sauvage tomba d'abord sur le genou, puis s'affaissa près de table, sous laquelle Mornac le poussa du pied. L'Iroquois était ivre-mort.

Les buveurs du fond de la salle s'élancèrent vers la porte sans payer leur consommation, et se sauvèrent à toutes jambes.

– Là ! voyez-vous, monsieur ! s'écria Boisdon. En voilà qui

décampent sans me payer ; et cela par votre faute !

On a remarqué, sans doute, la progression descendante du respect de Boisdon pour le chevalier de Mornac. D'abord il l'avait nommé : monsieur le marquis, puis monsieur le comte, et enfin monsieur tout court.

– Oui ! continua Boisdon, qui me payera ce vin-là, maintenant ? Ne vous avais-je pas dit que vous me feriez un malheur ? Et cet homme dangereux, comment m'en débarrasser lorsqu'il se réveillera ?

– Sandis ! oublies-tu donc à qui tu parles, maroufle ! s'écria Mornac échauffé par le vin. Tiens ! voici un louis, paye-toi, et si cette brute te veut causer noise à son réveil, viens me chercher en haut et je te la mettrai proprement à la porte. Car, un animal de la sorte ne mérite pas mieux.

Tandis que la figure de Boisdon se rassérénait, et que le bonhomme se confondait en excuses et en remerciements, Mornac gravit lestement l'escalier qui menait au second étage.

Le Gascon avait la jambe ferme comme un soldat à jeun sur le champ de parade. Il buvait sec, ce digne chevalier ! S'il aimait les longues phrases et les grands coups d'épée, il affectionnait aussi particulièrement les grands verres, et les savait vider royalement.

Mornac, n'ayant rien de mieux à faire pour le moment, s'étendit sur son lit et s'endormit bientôt. Ce n'est pas que le vin l'eût alourdi. Oh ! que non ! Mais, fatigué par une longue traversée, et trouvant plus confortable le lit de l'auberge que le cadre étroit dans lequel il avait dû dormir pendant près de deux mois, le jeune homme avait sommeil ; ce qui, du reste, arrive aux plus gens de bien même quand ils n'ont point bu.

Il ne s'éveilla que deux heures plus tard, et grâce encore à la pesanteur de la grosse main de Boisdon, qui lui secouait l'épaule.

– Pardon, monsieur le comte (la pièce d'un louis avait fait remonter l'estime de l'aubergiste), pardon, si je me permets de mettre fin à votre somme ; mais il est six heures, et votre souper sera bientôt prêt.

– Je t'absous, cadédis ! je t'absous, brave homme, du moment que tu n'interromps pas une de mes jouissances que pour m'en procurer une autre. Sais-tu que ce léger sommeil m'a remis en appétit, et que je me sens d'énormes cavités sous les côtes ?

– Monsieur le comte est bien bon de rendre indirectement un hommage aussi flatteur à ma cuisine. Mais il m'avait toujours semblé que c'était plutôt l'exercice et le grand air qui excitaient à manger.

– Eh ! eh ! père Boisdon, vous oubliez le vin dans votre nomenclature.

– C'est vrai ! c'est vrai ! Et puis, monsieur le comte, ce n'est pas pour vous offenser, mais vous buvez sec. Eh ! eh !

– N'est-ce pas ? fit Mornac en s'étirant les bras avec un air satisfait. Sais-tu que c'est attribut royal, et que je le tiens du grand roi Henri IV par la famille de Navarre, à laquelle la mienne est liée d'assez près.

Si Mornac n'eût pas été un tantet vantard et menteur, il n'eût vraiment pas été Gascon.

– Oh ! mais, dites donc, père Boisdon, votre Iroquois vous a-t-il donné bien du mal, ou cuve-t-il encore son vin ?

– Non, monsieur le comte, il s'est réveillé, il y a un quart d'heure à peine, et s'en est allé tout de suite. Il avait encore l'air bien farouche, et je l'ai vu qui errait sur la grand-place comme âme en peine. Pourvu, maintenant, qu'il n'aille pas faire de mauvais coups. Car, lorsqu'ils sont saouls, ces Sauvages sont encore plus terribles qu'à jeun. Mais monsieur le comte veut se lever ; je m'en vas.

– C'est bon, fit Mornac, qui se mit sur son séant. Je voudrais faire un brin de toilette ; en ai-je le temps avant souper ?

– Heu !... oui, répondit l'hôtelier en tirant de son gousset une énorme montre d'argent, dont un seul coup bien asséné aurait assommé un ours. Monsieur le comte a une dizaine de minutes à lui.

– Oh ! alors, j'aurai fini assez tôt pour ne me point faire attendre.

Boisdon sortit et le chevalier sauta à bas de son lit.

Comme il n'avait que le pourpoint et le haut-de-chausses que nous connaissons, la toilette de Mornac ne lui prit pas beaucoup de temps. Seulement, au lieu des lourdes bottes que nous lui avons vues en premier lieu, il chaussa d'abord une paire de bas de soie qui lui montaient au-dessus du genou, et puis enserra ses pieds en des souliers, à boucles d'or et qu'on appelait bottes de villes ou bottines.

Ensuite, il tira de sa valise une assez jolie paire de manchettes en fine batiste ornée de dentelles, ainsi qu'une large cravate de point d'Espagne, qu'il noua sur sa gorge par un ruban rose, et dont il laissa pendre les bouts en cascades sur le devant du pourpoint. Puis il raffermit sa chevelure et retortilla sa longue moustache brune.

Ainsi fait, il avait l'air si crâne, que lorsqu'il sortit de sa chambre, demoiselle Perpétue Boisdon sentit battre vivement son cœur, sous sa maigre poitrine ; et je crois que, si Mornac eût voulu l'embrasser, lorsqu'il la rencontra sur le palier – pardonnez-moi cette médisance sur une femme aussi rigide – elle eût volontiers tendu la joue.

Vers les sept heures et demie, Mornac, le feutre à larges bords incliné fortement sur l'oreille gauche, et sa longue rapière au côté, sortit de l'auberge du Baril-d'Or. Il se rendait chez M. Ruette d'Auteuil, qui, l'on s'en souvient, demeurait sur l'emplacement occupé de nos jours par l'Hôtel du Parlement.

Bien que la nuit ne fût pas encore venue, la lumière du jour pâlissait sensiblement, et l'ombre commençait à s'épandre dans les rues désertes.

Le chevalier mettait le pied sur la dernière marche du seuil de la taverne, lorsque la bonne grosse figure de Boisdon se pencha par la porte entrebâillée, qui laissait voir aussi la main droite de l'aubergiste armée d'une énorme barre de chêne.

– Monsieur le comte ne trouvera pas mauvais, sans doute, dit le brave homme, que je barricade ma porte à cette heure. Il faut être prudent par le temps qui court ; les Iroquois rôdent continuellement aux environs, sans compter ceux qui sont aujourd'hui dans la ville. Savez-vous que je serais bien en peine si celui de cet après-midi allait revenir. Les bons bourgeois n'ont pas toujours l'honneur d'abriter sous leur toit une excellente lame accompagnée d'un poignet aussi solide que le vôtre, monsieur le comte ; aussi sont-ils accoutumés de se renfermer de bonne heure. Bien en a pris, l'autre soir, à Nopce qui demeure au pied de la Côte de Sainte-Geneviève. Nicolas Pinel et son garçon, Gilles, s'en revenaient de leur désert, en haut de chez Nopce, quand ils furent attaqués par deux Iroquois qui manquèrent les prendre vifs. Blessé d'un coup d'arquebuse, dont il est mort au bout de quelques jours, maître Nicolas se précipite de peur, avec son garçon, aval la montagne pour se sauver. Boisverdun, qui était avec eux, lâche son coup de fusil sur les Sauvages, mais

35/135

sans les toucher. Les Iroquois ayant été se joindre à d'autres, tout près de la maison de Nopce, y tirèrent un coup d'arquebuse dans la porte, qu'ils auraient enfoncée si elle n'eût pas été bien verrouillée et barricadée en dedans. Les chiens jappèrent toute la nuit à la Côte Sainte-Geneviève. Vous voyez que les bonnes gens n'ont pas tort de se mettre à l'abri dès la brunante. Quand monsieur le comte reviendra, il n'aura qu'à se nommer, et j'ouvrirai tout de suite.

– C'est bon ! c'est bon ! dit Mornac impatienté du babil de l'aubergiste, et il s'avança dans la rue Notre-Dame, qui ne devait porter le nom de Buade que vingt ans plus tard.

Comme il allait dépasser la demeure de l'évêque, une jeune femme, à la démarche vive et légère, déboucha, en courant, de la rue du Fort ; puis, à cinq pas derrière elle, un homme bizarrement vêtu ou plutôt très peu vêtu, qui la poursuivait.

– La joue de la vierge pâle est comme une belle fleur que le chef veut admirer de près, criait d'une voix avinée l'homme qui la rejoignit en deux bonds.

Il avait déjà passé son bras droit autour de la taille et allait effleurer de ses lèvres le visage de la jeune personne, lorsque celle-ci se détourna vivement, se dégagea et le frappa en pleine figure de sa petite main fermée.

L'homme ricana et s'élança de nouveau vers elle.

– À moi ! au secours ! cria la pauvre femme.

Le Sauvage allait encore porter sur elle ses mains brutales, quand, soudain, Mornac bondit au-devant de lui, son épée nue au poing. Dédaignant d'en frapper de la pointe un ennemi dont les mains sont sans armes, le chevalier rabat violemment le pommeau de son épée sur la poitrine nue de l'Iroquois, qui tombe à la renverse.

– Griffe-d'Ours ! s'écrie Mornac avec surprise.

– Oah ! s'exclame l'autre en se relevant. Malheur au jeune fou qui a fait couler de l'eau de feu dans les veines de la Main-Sanglante !

Et Griffe-d'Ours lance son tomahawk à la tête de Mornac.

Celui-ci, qui a deviné l'intention du mouvement, fait un bond de côté.

La hache passe en sifflant entre Mornac et la jeune femme, et s'en va frapper le mur du logis de Mgr de Laval.

Aveuglé par la colère, Griffe-d'Ours se jette, le couteau au poing, sur le chevalier qui tombe aussitôt en garde en protégeant la jeune femme.

Légèrement piqué d'un coup de pointe à la poitrine, le Sauvage, que l'épée du gentilhomme tient à distance, pousse des cris furieux.

Cette scène n'avait duré que quelques secondes ; mais elle se passait tout près du fort des Hurons, et avait attiré l'attention de ces derniers dont une dizaine se précipitent en dehors de la palissade.

Ils entourent l'Iroquois qui brandit son couteau en hurlant.

– Chiens que vous êtes, osez donc porter la main sur un chef, que je vous envoie rejoindre les mânes de vos parents massacrés par les miens ! Venez tous !... Vous tremblez ; vous n'avez que des cœurs de renards et vos bras sont plus faibles que ceux d'une femme !...

Le cercle des Hurons s'épaississait de plus en plus, grâce aux secours qui leur arrivaient à chaque seconde, et le chef allait être culbuté, tué sans doute, lorsqu'un bruit de pas retentit dans la rue du Fort, en même temps qu'une voix sonore y criait d'un ton de commandement :

– Arrêtez tous, au nom du roi !

Une dizaine de soldats armés suivaient, en courant, cet homme, qui n'était autre que Louis Peronne, sieur de Mazé, capitaine de la garnison du Fort de Québec.

– Que signifie ce vacarme ? demanda-t-il en arrivant.

Mornac s'avança et lui raconta l'affaire en deux mots. Le sieur de Mazé perça la foule qui environnait l'Iroquois, et dit à Griffe-d'Ours :

– Suivez-moi, chef. Vous passerez la nuit au château, avec vos guerriers qui, surpris de ne vous point retrouver ce soir, sont venus se plaindre au gouverneur de votre disparition. J'étais en train de vous chercher pour vous ramener vers eux quand le bruit que vous venez de faire a attiré mon attention et mes pas de ce côté. Venez, ne craignez rien, et fiez-vous à la bonne foi des Français. Vous resterez toute la nuit au château pour qu'il ne vous arrive rien de fâcheux, et, demain matin, vous serez libre de partir.

Le gouverneur avait pris ses dispositions pour empêcher les Iroquois d'errer par la ville, pendant la nuit, en les gardant au château Saint-Louis, où une surveillance immédiate pouvait être exercée sur eux.

Assez content au fond d'échapper aux mains vengeresses des Hurons, ses ennemis mortels, Griffe-d'Ours se mit aussitôt à la disposition du capitaine.

Il avait déjà fait deux pas quand il s'arrêta.

– Jeune homme à face pâle, dit-il à Mornac, nous nous rencontrerons encore sur le sentier de guerre ; et toi, vierge blanche, tu viendras avant longtemps habiter le wigwam du chef !

Il se retourna au milieu des soldats qui l'entouraient et le bruit de ses pas se perdit bientôt, avec ceux des soldats, à l'extrémité de la rue du Fort, où tous disparurent dans l'ombre de la nuit.

– Va-t-en au diable, je ne te crains guère ! grommela Mornac, qui, se tournant vers la jeune femme dont la peur avait paralysé les mouvements ajouta :

– Me permettez-vous, madame, de vous offrir mon bras pour vous conduire à l'endroit où vous désirez aller.

– J'accepte avec reconnaissance, monsieur, répondit la dame d'une voix fraîche et distinguée.

Le chevalier tendit galamment son bras gauche, sur lequel la jeune personne appuya la main en disant au gentilhomme :

– Je ne vais qu'à deux pas d'ici, chez M. Ruette d'Auteuil, où je suis invitée à passer la veillée.

– Quelle rencontre fortunée ! repartit Mornac. Je suis prié moi-même à cette soirée.

– Vraiment ! ce m'est un fort heureux hasard que d'y rencontrer mon sauveur.

– Votre sauveur, non, madame, mais bien plutôt le plus humble de vos serviteurs.

Ce gredin de Gascon avait le coup d'œil vif. Il s'était aperçu tout de suite, malgré l'obscurité, que sa compagne était jeune, jolie et distinguée.

– Vous devez vous demander, reprit la belle inconnue, comment une jeune femme a pu se hasarder à sortir ainsi seule le soir.

La chose est toute simple. Je demeure au commencement de la rue Saint-Louis. Ce n'est qu'à quelques pas de chez M. Ruette d'Auteuil, et la ville étant habituellement assez tranquille, même à cette heure, j'ai cru pouvoir m'y rendre seule. Mais comme je m'engageais sur la place d'armes, j'ai remarqué qu'un homme se relevait de terre, au coin de la sénéchaussée.

Instinctivement j'ai hâté le pas, sans courir, néanmoins ; car je ne suis pas peureuse.

– Je le crois bien, sandis ! À la manière dont vous avez frappé l'Iroquois au visage, j'ai vu tout de suite que vous êtes, madame, d'un naturel fort déterminé.

– Quand j'ai vu qu'il allait m'atteindre, continua la jeune femme avec un sourire, je me suis mise à courir en entrant dans la rue du Fort, et... vous savez le reste. Si je ne me trompe, vous êtes étranger et, de plus, nouvellement arrivé : me sera-t-il permis de vous demander le nom de mon brave protecteur ?

– Robert du Portail, chevalier de Mornac, pour vous servir, madame.

– Ah ! mon Dieu !

– Mon nom est donc bien surprenant ?

– Pardon, monsieur, mais savez-vous que je crois que nous sommes cousins ?

– Cousins, madame ! Veuille le ciel me gratifier inopinément d'une aussi charmante cousine, et je lui en voue une reconnaissance éternelle !

Comme ils étaient arrivés chez M. d'Auteuil, le son de leur voix s'éteignit derrière la porte que l'on referma sur les deux visiteurs.

IV

Portraits et caractères

On se convaincra que l'élite de la société de Québec était, ce soir-là, réunie chez M. Ruette d'Auteuil, pour peu que l'on veuille bien prêter l'oreille aux noms des invités qu'un domestique annonce à mesure qu'ils arrivent.

Mais je dois mentionner d'abord le nom de la maîtresse de la maison, Mme d'Auteuil, née Claire-Françoise de Clément. C'était une personne de trente-six à quarante ans, de taille moyenne et d'un air fort distingué. Elle accueillait ses hôtes avec cette aisance et cette urbanité que peut seule donner la naissance.

En premier lieu, parmi les invités, venaient Louis-Théandre Chartier de Lotbinière, lieutenant-général de la prévôté de Québec, sa femme Marie-Élizabeth d'Amours, et leur fils aîné, alors âgé de vingt-deux ans, René-Louis Chartier, qui devait être plus tard conseiller du roi et lieutenant civil et criminel. Puis, c'était M. le Vieux de Hauteville, lieutenant-général de la sénéchaussée, marié en 1654 à Marie Renardin de la Blanchetière, à laquelle il donnait en ce moment le bras. Apparaissaient ensuite les sieurs Le Gardeur de Tilly et Le Gardeur de Repentigny, le commis-général Charles Aubert, sieur de La Chenaye, M. Blaise de Tracolle, médecin, qui devait mourir l'année suivante, et bien d'autres dont j'oublie les noms : en tout une vingtaine de personnes de naissance et d'éducation qui composaient la majeure partie de l'aristocratie de Québec. Car il ne faut pas oublier que notre ville ne comptait alors que huit cents habitants, que l'immigration avait été bien lente jusqu'à cette époque, et que les autres personnages de naissance et de fortune qui firent ensuite marque dans la colonie ne devaient arriver, pour la plupart, que l'année suivante avec le beau régiment de Carignan.

De toutes les femmes qui composaient cette réunion, la plus jeune, la plus belle et la plus admirée était sans contredit Mlle Jeanne de Richecourt, celle-là même que Mornac avait préservée de la brutalité de l'Iroquois Griffe-d'Ours.

Elle portait à ravir une délicieuse toilette. Une robe de soie rose emprisonnait sa taille svelte, mais riche, dans un corsage à longue pointe ; la jupe, ample et retroussée sur le devant par un nœud de ruban de satin, retombait en arrière sur une seconde jupe plus étroite, en soie verte et moirée, garnie de fines dentelles. Comme les manches de la robe se portaient alors très courtes, celles de la chemise, terminées par des poignets de valenciennes, laissaient voir un avant-bras nu, blanc, ferme, modelé comme celui de la belle Madeleine au Désert du Corrège, et terminé par la plus aristocratique main du monde.

Lorsque votre œil, fasciné déjà, remontait jusqu'à l'encolure du corsage que la mode nouvelle voulait décolleté, le regard s'y arrêtait ébloui par le moelleux des contours et la pureté du tissu des resplendissantes épaules et de la naissance d'une gorge dont le peu qu'on en apercevait eût mérité d'être immortalisé par le pinceau d'un Titien.

À quelques-uns de mes lecteurs cette description semblera bien mondaine. Dieu m'est témoin pourtant que je n'en peux mais et que je reste dans les strictes bornes de la vérité historique.

Les dames canadiennes d'alors, nos vénérées aïeules, dont je veux ressusciter en mes œuvres la beauté, la jeunesse et les vertus héroïques, aimaient assez se décolleter, puisqu'il appert que Mgr de Laval dut leur défendre, par un mandement spécial, de venir à l'église les épaules et les bras nus. Ah ! ce n'est point la peine de jeter les hauts cris, mesdames ; car, malgré cela, nos chastes grand-mères valaient, pour le moins, autant que celles d'entre vous qui plissent la lèvre en me lisant, et dont le menton essaye en vain de se cacher sous leur collet haut monté.

Jusqu'ici ma plume a pu trouver des mots sans doute bien impuissants à donner une idée de la beauté gracieuse de Mlle Richecourt ; mais maintenant que mes yeux en sont arrivés à contempler sa figure, je me demande avec effroi s'il ne me faut pas renoncer à la peindre. Eh ! comment peindre avec des mots sans couleur ? C'est ici que l'écrivain se sent inférieur au peintre. Si tous les deux ont pour modèle un idéal qu'ils n'atteignent jamais, l'artiste, du moins, peut donner à sa toile une apparence de vie, des tons chauds, des traits distincts qui offrent aux yeux une image déterminée de sa pensée, de sa conception, de son rêve. Tandis que l'écrivain... Lisez plutôt les cent mille et un portraits d'héroïnes de tous les romans qui ont jamais été écrits, et citez-m'en dix, trois, un seul, qui donne au lecteur une idée nette de la femme que l'auteur a voulu représenter. Au contraire, le moindre croquis, fait par le plus petit des crayonneurs, n'imprime-t-il pas pour longtemps en votre mémoire les traits, l'ensemble d'un portrait sur lequel vous prenez la peine d'arrêter vos yeux durant quelques secondes ?

Puisque les plus belles phrases descriptives produisent un si pauvre effet, je ne me vais servir que des mots les plus simples pour décrire l'adorable figure qui est bien là, devant moi, me souriant dans le silence de la nuit, et que j'entrevois avec extase dans le nimbe radieux de la vive lumière de ma lampe. Alors on ne sera point tenté de rire de mes vains efforts, et l'on pourra même croire que, jaloux d'exposer aux yeux de tous cette vierge de ma pensée, j'en ai précieusement enfoui les traits divins en mon âme, pour les remettre un jour à Dieu, l'éternel dispensateur des belles inspirations.

D'abondants cheveux noirs, artistement frisés, après s'être joués, sur le sommet du front et sur les tempes, en arabesques capricieuses où l'art se montrait pourtant, jaillissaient en cascades et s'en allaient ruisseler sur ses épaules.

Encadré par ces boucles luxuriantes et soyeuses, le galbe ovale de son visage au teint digne de la plus fraîche blonde, ressortait ainsi que la blanche figurine des camées antiques éclate sur le fond bruni qui la fait si bien valoir. Sous le front un peu plus haut que ne le veut le statuaire classique, mais blanc et poli comme un marbre et laissant rayonner l'intelligence de la pensée, scintillaient des yeux d'un brun doré, dont l'éclair jaillissait, entre leurs grands cils soyeux, comme un vif rayon de soleil répercuté par l'eau limpide d'une source ombragée de longs roseaux doucement bercés par la brise. L'arc des sourcils s'accusait à peine ; on eût dit la trace légère du coup de pinceau d'une fée artiste. Le nez, au pur profil grec, laissait entrevoir de fines narines roses comme l'émail intérieur de ces beaux coquillages des mers du Midi. Quant à la bouche, fraîche telle qu'une fleur sous la rosée du matin et savoureuse comme la chair d'une pêche, lorsqu'elle s'entrouvrait pour sourire et laissait miroiter le brillant reflet de dents petites, régulières et plus blanches que le collier de perles qui s'enroulait, plus bas, autour du beau cou de la jeune fille, on aurait cru voir les lèvres vermeilles de l'un de ces chérubins qui sourient à la Vierge de Murillo, en l'emportant à Dieu sur leur phalange radieuse.

Si vous ajoutez aux détails de ses traits enchanteurs une expression de suprême dignité, avec le grand air de reine que lui donnait sa belle taille, vous aurez comme une idée, comme un rêve des exquises perfections physiques de Mlle Jeanne de Richecourt.

Pour ce qui est de ses qualités morales, la suite du récit fera voir que son âme était digne d'habiter un si beau corps. Car jamais le Créateur n'aurait pu se décider à gâter une aussi riche organisation en la dotant d'un esprit médiocre dans la pensée comme dans les actions généreuses.

Mademoiselle de Richecourt était orpheline, et bien courte était son histoire, du moins ce qu'on en savait dans le pays.

Quatre années auparavant (elle n'avait que seize ans alors) Jeanne était débarquée d'un vaisseau qui arrivait de France, avec un vieillard à l'air morose et souffrant. C'était son père. Durant les quelques mois qui suivirent son arrivée le vieillard vécut fort retiré avec sa fille, ne voyant à peu près personne, excepté toutefois M. Claude Petiot des Corbières, chirurgien, qui le visitait tous les jours. Par l'indiscrétion d'une servante on sut bientôt que M. de Richecourt souffrait de blessures graves. Étaient-elles récentes, ou les fatigues de la traversée, qui avait été fort longue, les avaient-elles rouvertes ? Voilà ce qu'on ignorait pourtant. Toujours est-il que, six mois après son arrivée dans le pays, le vieillard s'éteignit entre les bras de sa fille et entouré des soins de M. des Corbières. Avant de mourir, il pria le chirurgien de placer Jeanne dans une bonne famille de Québec, en évitant toutefois de la confier à des personnes dont le rang trop élevé attirerait sur elle l'attention des étrangers que leur noblesse ou leurs dignités mettaient immédiatement en rapport avec l'aristocratie de Québec. Quel était le but du mourant en agissant ainsi, c'est ce que nous saurons probablement plus tard.

M. des Corbières, qui était garçon et n'aurait pu prendre chez lui Mlle de Richecourt, la confia à Mme Guillot, née d'Abancour, veuve de M. Jean Jolliet et remariée, depuis 1651, à M. Godfroy Guillot, qui venait de mourir et de la laisser libre une seconde fois, à l'époque où l'on va voir se nouer ce drame (1664) ; puisque nous constatons que l'infatigable veuve devait convoler en troisième noces, le 6 novembre 1665, avec M. Martin Prevost. M. des Corbières connaissait bien Mme Guillot, vu que l'on remarque, dans un acte notarié, que le chirurgien était présent au contrat de mariage de François Fortin et de Marie Jolliet, fille du premier lit de Mme Guillot.

Mlle de Richecourt avait déjà reçu une éducation supérieure dans l'un des meilleurs couvents de France. Cependant elle voulut entrer au pensionnat des Ursulines. La mort de son père l'avait tellement abattue, découragée, qu'elle eut d'abord l'idée de s'y faire religieuse. Mais le temps qui use tout, même la douleur, la vue des austérités et de la vie monotone du cloître, lui révélèrent bientôt ses vraies inclinations. Elle se sentait attirée vers une existence plus brillante. Le peu qu'elle avait entrevu du monde avant de quitter la France lui rappelait maintenant qu'elle était née pour en goûter les plaisirs ou du moins pour prendre part à ses agitations. Comme elle était douée d'une âme ardente, d'une imagination romanesque et de ce chevaleresque esprit qu'elle tenait des comtes de Richecourt, ses aïeux, dont les hauts faits remontaient par-delà les croisades, c'était évidemment un horizon moins borné que les murs d'un couvent qui devait contenir cet ardent caractère. À part cela, en fille noble et de grande lignée, Jeanne aimait passionnément la toilette, goût encore très opposé au vœu de pauvreté monastique. Qu'on veuille bien ne lui pas reprocher ce penchant ; elle avait été élevée dans le luxe, et son père, qui avait dû jouir d'une grande fortune en France, avait laissé d'assez bons revenus à sa fille pour lui permettre de vivre, au Canada, selon sa naissance et sa fantaisie. Aussi, chaque année, faisait-elle venir ses toilettes de France. Étant jeune et belle, n'était-il pas dans l'ordre qu'elle eût le goût du beau.

On conçoit qu'avec de pareilles dispositions Mlle de Richecourt ne pouvait pas rester longtemps au couvent des Ursulines. Elle en sortit au bout d'une année, comme elle allait avoir dix-huit ans.

Sur les entrefaites, M. des Corbières étant retourné en France, Jeanne qui ne pouvait l'y suivre, pour des raisons que nous connaîtrons avant longtemps, se trouva presque seule et sans conseil. Car à l'affection qu'elle portait à sa fille adoptive, Mme Guillot, chez laquelle vivait Jeanne, joignait un sentiment de délicate déférence pour cette jeune personne d'une position plus élevée que la sienne, et cela d'autant plus que la demoiselle de Richecourt payait royalement à la bonne dame et sa pension et ses soins attentifs. Jeanne étant donc livrée presque à elle-même, accepta avec empressement les invitations que sa beauté, sa jeunesse et sa fortune lui valurent aussitôt des meilleures familles de Québec. En quelques mois ce fut elle qui donna le ton à la petite société de la capitale. On se rangea volontiers sous la loi de la belle enfant, qui semblait née pour régner sur les esprits et les cœurs.

Elle n'avait pourtant pas été sans se rappeler les recommandations que son pauvre père lui avait faites, sur le lit de mort, de vivre retirée le plus possible et d'éviter la rencontre des personnes de qualité qui viendraient de France. Mais l'insouciance de la jeunesse, la passion que Jeanne avait de briller, lui avaient bientôt fait, sinon mépriser, du moins négliger les sages conseils de M. de Richecourt.

Hélas ! elle devait avant longtemps regretter son imprudence. À peine y avait-il un an qu'elle faisait ainsi l'ornement de la société de Québec, lorsqu'un certain M. de Vilarme se mit à lui faire la cour. Cet homme arrivait de France et se faisait passer pour un voyageur curieux d'étudier les mœurs des tribus indigènes et la nature du Canada.

Mlle de Richecourt ne prêta pas grande attention aux soins empressés du nouveau venu, et le traita avec d'autant plus d'indifférence qu'il était âgé de quarante ans et laid plus que de raison. Cinq coups de plume suffiront pour le peindre. Pierre de Vilarme était petit, gros, rouge de figure, de barbe et de cheveux. Sa bouche était épaisse et son nez camus. Ses yeux d'un gris sale louchaient affreusement sous un front bas et ridé. Rien de franc ni d'ouvert dans ce vilain visage, qui ne trahissait au contraire que fourberie et méchanceté. Ce n'était pas, on le voit, un homme à produire quelque impression favorable sur la belle Jeanne de Richecourt.

Tant qu'il sut se tenir sur la réserve et ne lui point parler directement d'amour, Jeanne, qui avait bon cœur, supporta les assiduités de M. de Vilarme. Mais un jour qu'elle était seule dans son appartement, chez Mme Guillot, et qu'il osa demander la main de la jeune fille, celle-ci ne sut plus se contenir et le pria de porter ailleurs ses attentions.

Comme le sieur de Vilarme insistait trop, elle lui dit qu'il l'ennuyait et qu'avec un peu d'esprit, il aurait dû s'apercevoir depuis longtemps qu'elle ne voudrait jamais être sa femme.

Jeanne avait cru déconcerter son disgracieux admirateur. Au

contraire, celui-ci, qui s'était jusque-là composé un maintien souriant et soumis, lui avait soudain saisi le poignet, s'était brusquement rapproché d'elle. Puis il lui avait parlé pendant cinq minutes à voix basse, en serrant à le broyer ce frêle poignet de jeune fille, et s'en était allé sans attendre de réponse.

Mme Guillot était entrée sur ces entrefaites, et avait trouvé Mlle de Richecourt hors d'elle-même et la figure baignée de larmes.

Ce que cet homme lui avait dit était donc bien terrible !

À partir de ce jour, M. de Vilarme ne se montra plus chez Mme Guillot ; mais Jeanne ne pouvait faire un pas au dehors sans rencontrer sur son chemin ce vilain homme. Était-elle invitée quelque part, elle était sûre de l'y trouver aussi. Bien qu'il ne s'approchait presque plus de Mlle de Richecourt, il l'observait d'un œil tellement tyrannique, qu'elle osait à peine accepter les plus simples hommages des quelques gentilshommes de la colonie, qui va sans dire, s'empressaient autour d'elle. Bien plus, dès que M. de Vilarme apparaissait dans une réunion où se trouvait Jeanne, celle-ci changeait de couleur et se montrait si troublée, si contrainte, qu'on ne fut pas longtemps à le remarquer.

Il y avait une année que durait ce manège, pendant laquelle Mlle de Richecourt refusa deux fort bons partis, et l'on chuchotait partout sur les singulières relations qui pouvaient exister entre le sieur de Vilarme et Mlle de Richecourt, lorsqu'elle fit son entrée chez M. Ruette d'Auteuil, accompagnée du chevalier Raoul de Mornac. C'était le soir du 18 septembre 1664.

À peine le chevalier était-il revenu de la surprise où la brusque déclaration de parenté de Mlle de Richecourt l'avait jeté, et allait-il entrer dans la salle où la société se trouvait réunie, que Jeanne se pencha vers Mornac et lui dit rapidement à l'oreille :

– Je suis la fille de feu le comte Jean Richecourt. Tâchez, mon cousin, de vous trouver seul un moment auprès de moi durant la soirée. Il faut absolument que je vous parle. Il y va de mon bonheur, de ma vie peut-être. Un grand danger me menace, et je compte, pour le conjurer, sur vous, que l'ange gardien de notre famille a sans doute envoyé vers moi.

Comme ils arrivaient à la porte de la salle, Mlle de Richecourt laissa le bras de Mornac et entra, suivie de ce dernier, qui se disait :

– Sandedious ! il paraît que les aventures ne me manqueront pas en ce pays.

Fidèle à son poste, le sieur de Vilarme était déjà rendu chez M. d'Auteuil. Mlle de Richecourt s'approcha de la maîtresse de la maison, et lui dit, après l'avoir saluée fort amicalement :

– Permettez-moi, Madame, de vous présenter mon cousin, M. de Portail, chevalier de Mornac, arrivé de France aujourd'hui même.

En prononçant les mots *mon cousin,* Mlle de Richecourt lança un regard de défi à Pierre de Vilarme, qui pâlit et se mordit les lèvres.

Il paraissait connaître le chevalier et semblait moins que charmé de cette rencontre imprévue.

– Je suis ravie de vous voir chez moi, monsieur le chevalier, répondit Mme d'Auteuil avec un sourire des plus gracieux, vu qu'elle avait une fille, mademoiselle Charlotte-Anne, bientôt en âge d'être mariée. Mon mari m'a fort avantageusement parlé de vous ce soir. Ne vous êtes-vous pas rencontrés au château ?

– Oui, Madame, répliqua Mornac, et nous avons même failli nous rompre le col ensemble.

– Mais savez-vous que vous avez été bien près de vous tuer ?

– C'est décidément aujourd'hui la journée des aventures, dit Mlle de Richecourt, que Mme d'Auteuil venait de faire asseoir auprès d'elle.

– Est-ce à dire, ma chère, que vous auriez aussi eu la vôtre ? demanda la femme du procureur-général.

– Je le crois bien ! Interrogez plutôt M. de Mornac. Mais, non, sa modestie l'empêcherait de vous raconter l'affaire dans les détails qui lui font le plus d'honneur. Aussi bien vais-je vous la relater moi-même.

On fit cercle autour de la brillante jeune fille. Pendant qu'elle exposait d'une façon charmante et enjouée le danger qu'elle venait de courir, Mornac regardait à droite et à gauche pour se donner une contenance, quand ses yeux tombèrent sur M. de Vilarme. Ce dernier qui, depuis une minute, le fixait du regard en fronçant ses épais sourcils roux, baissa tout aussitôt les yeux.

– Mordious ! pensa Mornac, Vilarme ici ! Ah ! bandit, gare à toi ! Nous nous reverrons ailleurs et bientôt !

– Si tu te veux immiscer dans mes affaires, se disait au même instant Pierre de Vilarme, je trouverai moyen, tout Gascon que tu es, de te forcer à me céder le pas.

La narration de Mlle de Richecourt ayant concentré l'attention sur Mornac, on se mit à accabler le chevalier de questions sur la France et sur la cour du jeune roi.

Mornac s'exprimait avec une grande facilité. Comme il ne l'ignorait pas, du reste, il accepta avec empressement l'occasion qui lui était offerte de faire de belles phrases et de poser un peu.

Aux hommes il parla du surintendant Fouquet, qui, arrêté depuis trois ans, devait enfin subir, dans l'automne de cette année 1664, son procès définitif pour déprédation des deniers publics. Il dit combien le roi était irrité contre ce malheureux administrateur, dont l'amabilité, le grand esprit et la libéralité avaient séduit tant de personnes, entre autres, Saint-Evremont, le philosophe, Gourville, Pélisson, Mme de Sévigné, Mlle de Scudéri et le fabuliste La Fontaine, tous gens dont la courageuse amitié lui devait sauver la vie.

Aux dames, plus désireuses d'entendre parler des faits et gestes de la cour, Mornac s'étendit avec complaisance sur les détails des divertissements donnés par le roi pour plaire à sa jeune maîtresse, Mlle de La Vallière. Après avoir fait mention du carrousel de 1662, il décrivit assez minutieusement la grande fête de Versailles. Elle avait eu lieu au commencement de l'été même. Il énuméra cette cour brillante, composée de six cents personnes défrayées avec leur suite aux dépens du roi, la magnificence des costumes du monarque et de ses courtisans, les courses, les joutes, la cavalcade suivie d'un char doré de dix-huit pieds de haut, de quinze de large, de vingt-quatre de long, et représentant le char du soleil ; puis l'illumination où quatre mille gros flambeaux éclairaient l'endroit où se donnaient ces jeux, quand la nuit venait, car la fête avait duré sept jours ; et le festin servi par deux cents personnages représentant les saisons, les faunes, les sylvains, les dryades avec des pasteurs, des vendangeurs et des moissonneurs ; enfin les divertissements du théâtre où Molière avait fait jouer la comédie de la *Princesse d'Élide*, la farce du *Mariage forcé*, et surtout les trois premiers actes du *Tartufe*, chef-d'œuvre que le roi avait voulu entendre avant même qu'il ne fût achevé.

Le Gascon eut soin de dire qu'il avait assisté, pris part à ce passe-temps royal. Il trouva même moyen d'avouer, modestement, qu'il y avait fait assez bonne figure. Mais il négligea d'ajouter qu'il s'y était à peu près ruiné en frais de costumes pour une certaine baronne, très belle du reste, qui se trouvait alors à Paris et qui devait assister de loin à ces jeux où c'était une très grande faveur que d'être invité ; la susdite baronne lui ayant en sus dérobé trois mille écus avec lesquels elle s'en était allée, sans aucun adieu. Ce qui avait déterminé notre cadet à venir se *refaire* au pays d'Amérique.

Il venait de finir qu'on l'interrogeait encore, tant ces détails charmaient la société tout éblouie par le mirage de ces splendeurs éloignées, quand un domestique vint dire que le jeune M. Jolliet demandait à voir Mlle de Richecourt un instant.

– Mais, faites entrer M. Jolliet, dit Mme d'Auteuil.

Mlle de Richecourt la remercia d'un regard.

Un instant après apparut un grand garçon de dix-huit ans, à la figure ouverte, intelligente et distinguée, mais aux manières un peu timides et embarrassées, comme celles de tout collégien : Louis Jolliet venait de terminer ses études au collège des Jésuites. Le pauvre jeune homme, tout intimidé par tant de regards fixés sur lui, s'avança en rougissant vers la maîtresse de la maison et la salua pourtant avec distinction ; car, malgré tout, il avait dans les veines du sang de gentilhomme, et par son grand-père maternel, les d'Abancour revivaient en lui.

Il se tourna, en rougissant plus encore, vers Jeanne de Richecourt.

– Ma mère, dit-il, a été bien inquiète à votre sujet, mademoiselle, en apprenant le danger que vous venez de courir. Et j'ai bien regretté avec elle que vous ayez refusé l'offre que je vous avais faite de vous accompagner.

– Je suis très sensible à votre sollicitude, répondit la jeune fille ; mais ce danger n'existant plus, vous devez vous rassurer, et pour moi, je ne puis maintenant que me réjouir d'une circonstance qui m'a fait reconnaître plus tôt l'un des membres de ma famille, M. de Mornac. – Permettez-moi, mon cousin, de vous présenter monsieur Jolliet, le fils aîné de ma bonne mère adoptive.

Par cette délicate attention, Mlle de Richecourt tirait d'embarras le jeune homme, qui ne se sentant plus ébloui par tous ces regards de femmes, se mit à causer à l'aise avec Mornac. Quelques minutes après, ils parlaient et riaient tous deux comme de vieux amis ; car leurs natures franches et sympathiques s'étaient aussitôt comprises.

Mme d'Auteuil quitta sa place un instant pour donner des ordres. Mornac, qui épiait l'occasion, vint s'asseoir auprès de Mlle de Richecourt. Le jeune Jolliet laissé seul se rapprocha de M. de Vilarme, qui, le dos appuyé contre le mur près de la causeuse où Jeanne était assise, semblait perdu dans une profonde rêverie. Tandis que Louis Jolliet engageait la conversation avec M. de Vilarme, Mlle de Richecourt disait rapidement à voix basse à Mornac :

– Je ne me suis pas trompée, n'est-ce pas, monsieur le chevalier, vous êtes bien ce parent dont mon pauvre père m'a si souvent parlé ?

– Certainement, mademoiselle ; j'ai l'honneur d'être votre cousin au second degré, par M. du Portail, dont votre père a porté autrefois le nom avant que Sa Majesté Louis XIII l'eût fait comte de Richecourt. Si nous ne nous sommes pas connus en France, vous et moi, c'est que j'ai été assez longtemps à l'armée, et que les deux fois que j'ai rencontré feu M. le comte à son château, la dernière dans de bien tristes circonstances, vous étiez au couvent.

– C'est bien cela ! murmura Jeanne d'un air rayonnant. Merci à Dieu de m'avoir envoyé celui-là même sur lequel je me puis appuyer en toute confiance ! Pardonnez-moi, mon cousin, de ne vous parler que par périphrases ; il m'est impossible d'être plus explicite à présent. D'abord nous n'en avons pas le temps, et puis celui de qui j'ai tout à craindre doit m'observer en ce moment.

– Qui donc, ma cousine ?

– M. de Vilarme. Méfiez-vous de lui ; c'est un monstre que cet homme.

– Oh ! je le connais, et peut-être mieux que vous encore, ma cousine ! Feu M. votre père vous a-t-il jamais parlé de ce Vilarme ?

– Non.

– N'importe ; sans savoir ce qui vous porte à le haïr, je comprends moi, pauvre enfant ! la répulsion naturelle, l'horreur même que vous devez éprouver à sa vue.

– Comment ! expliquez...

– Non ! pas maintenant, ce serait trop horrible et trop long à vous raconter ici.

– Mon Dieu, que voulez-vous donc dire !... Je tremble... Mais vous avez raison, il pourrait vous entendre, il est à côté de nous... Demain... n'est-ce pas ? Ah ! l'heureuse idée ! Écoutez, mon cousin ! Demain, Mme Jolliet, ma mère adoptive, se rend avec son fils et ses serviteurs, pour veiller à ses moissons, sur sa terre de la Pointe-à-Lacaille. Je l'ai décidée, comme les années précédentes, à m'emmener avec elle. Venez me reconduire ce soir à ma demeure, et je vous ferai demander par le jeune Jolliet de nous accompagner en ce voyage. Notre parenté vous y autorise, et par le temps qui court, où les Sauvages sont toujours aux aguets, une bonne escorte est plus que nécessaire. À la Pointe-à-Lacaille, nous pourrons nous voir seule à seul. Vous me direz tout ! Et vous m'aiderez à échapper aux obsessions de cet homme odieux ! Mais, chut ! voici Mme d'Auteuil qui revient.

En ce moment, Mlle de Richecourt aperçut du coin de l'œil quelqu'un qui se penchait derrière elle pour reprendre son mouchoir qu'il avait laissé tomber. C'était Vilarme qui, après s'être redressé, passa son bras sous celui du jeune Jolliet, s'éloigna de quelques pas et lui dit : – Mlle de Richecourt m'a tantôt appris le voyage que vous faites demain à la Pointe-à-Lacaille. (Vilarme, n'ayant pas parlé de la soirée à Mlle de Richecourt, mentait effrontément), Comme les Iroquois rôdent sans cesse aux environs, je crois que plus votre escorte sera nombreuse plus sûr en sera votre voyage. Si vous les voulez bien accepter, je vous offre mes services, tout faibles qu'ils soient, et je serai fort heureux de vous accompagner. Outre que je pourrai vous être utile, j'aurai l'occasion de continuer mes observations sur votre beau pays, et d'aller chasser dans les îles situées en face de la Pointe-à-Lacaille. On dit qu'elles sont bien giboyeuses ?

Surpris par cette demande à brûle-pourpoint, le jeune Jolliet accepta les offres de M. de Vilarme. Mais après deux minutes de réflexion il s'en repentit. Bien que mademoiselle de Richecourt ne lui eût jamais rien dit contre M. de Vilarme, il n'était pas sans s'être aperçu de l'antipathie qu'elle ressentait pour cet étranger, qu'il détestait lui-même sans trop savoir pourquoi, ou peut-être pour un motif que nous découvrirons bientôt et que le jeune homme ne se voulait point avouer.

La soirée s'écoula sans autres incidents dignes de remarque. L'heure du départ arrivée, M. de Vilarme vint demander à Mlle de Richecourt la faveur de l'accompagner chez elle. Mais celle-ci refusa gracieusement en disant que MM. Jolliet et de Mornac s'étaient offerts avant lui et qu'elle avait accepté leurs services.

Vilarme se mordit les lèvres et se perdit aussitôt dans le groupe des invités qui sortaient.

Pendant que Mornac allait chercher son chapeau, qu'il avait laissé dans l'antichambre, Jeanne dit rapidement quelques mots à l'oreille de Louis Jolliet, qui répondit par un mouvement affirmatif.

En regagnant le logis de sa mère, Jolliet pria Mornac d'accompagner sa famille à la Pointe-à-Lacaille.

Mornac le remercia avec effusion, et il fut convenu que le chevalier rencontrerait ses nouveaux amis le lendemain matin sur les neuf heures, à la basse-ville, près du Magasin.

Le gentilhomme laissa Mlle de Richecourt à la porte de la demeure de Mme Guillot, après avoir baisé la main de sa cousine et souhaité le bonsoir à Louis Jolliet, et s'en revint à l'hôtellerie du Baril d'Or, en longeant le mur d'enceinte du château Saint-Louis.

La nuit était noire et quelques rares étoiles se montraient seulement au ciel. Les rues de la petite ville étaient sombres et désertes, et Mornac n'entendait d'autre bruit que celui de ses pas et que les notes étranges et plaintives d'une jeune Huronne qui endormait son nouveau-né. Ce chant doux, triste et lent, venait du fort des Hurons que le chevalier longeait en ce moment, et sortait d'un ouigouam à peine éclairé par les lueurs mourantes d'un feu qui allait s'éteindre.

Mornac s'engagea dans l'ancienne rue Notre-Dame. Comme il arrivait au coin de la ruelle du Trésor, un homme, le feutre rabattu sur les sourcils, et le bas du visage masqué par le pan d'un manteau, se jeta sur lui l'épée au poing.

Le chevalier, qui avait cru entendre un bruissement précéder l'attaque, se jeta de côté et dégaina. De sorte que la lame de l'inconnu rencontra celle du Gascon, qui s'écria, entre deux parades :

– Eh ! sandious ! à qui en voulons-nous, l'ami ? Est-ce à ma bourse ? Je l'ai malheureusement oubliée en mon logis ; encore ne vaut-elle pas la peine qu'un chrétien risque de se faire taillader des boutonnières dans la peau, pour les quelques louis que je possède encore. Ah, çà ! monsieur le coupe-jarret, c'est donc à ma vie que vous en voulez ! Eh bien ! vous allez voir que j'y tiens furieusement. Attendez !

Mornac se fendit à fond avec la promptitude d'un ressort qui se détend. Mais la pointe de son arme ne rencontra que le vide. L'inconnu, qui avait probablement compté assassiner le gentilhomme avant que celui-ci fût sur ses gardes, avait rompu brusquement, et se sauvait à toutes jambes sur la grand-place en longeant le portail de la grande église.

Mornac se lança à sa poursuite, mais le spadassin disparut presque aussitôt près de la clôture qui entourait le clos Couillard et passait derrière la cathédrale en gagnant l'Hôtel-Dieu. Le chevalier qui ne connaissait pas bien l'endroit, ne poussa pas plus avant ses recherches et remonta vers l'auberge du Baril-d'Or en grommelant :

– Il faisait trop noir pour le bien reconnaître, mais que je sois écorché vif si ce n'est pas ce vilain Vilarme ! Ah ! monsieur de l'œil louche, il vous faudra désormais plus d'adresse dans le regard et le poignet si vous voulez me retrancher du nombre des vivants. Nous nous reverrons avant longtemps ! Et alors...

Un quart d'heure après, Mornac murmurait dans son lit :

– C'est égal, cap-de-dious ! ma première journée passée à Québec est assez bien remplie : dégringolade du haut en bas de la terrasse ! trois aventures assez drôles avec le prince Griffe-d'Ours, reconnaissance inspirée d'une belle cousine, petit guet-apens ce soir, voilà de quoi empêcher un bon gentilhomme de trouver le temps long ! Puisque la Fortune se charge de me donner d'aussi fréquentes distractions, espérons qu'elle voudra bien aussi diriger le cours du Pactole dans ma bourse. Car, Dieu me damne s'il me reste plus de vingt louis en tout bien ! On ne va pas loin avec ça, mordious !

Ces dernières réflexions du Gascon se confondirent avec son premier ronflement.

V

Le voyage

Le lendemain matin, sur les neuf heures, vis-à-vis le Magasin et dans une chaloupe que la vague berçait doucement à quelques pieds du rivage, un homme se tenait debout. Au soin qu'il prenait de ne pas laisser échouer l'embarcation, à l'impatience qu'il manifestait en jetant de fréquents regards dans la rue Sous-le-Fort, il était évident qu'il avait quelqu'un à prendre à son bord et qu'il attendait. Cet homme, trapu, aux traits énergiques mais non pas sans indices de bonté d'âme, s'appuyait sur une longue gaffe en s'y retenant de ses mains larges et calleuses. Il s'appelait Baptiste Joncas, et cultivait, à titre de fermier, la terre que Mme Guillot possédait à la Pointe-à-Lacaille et qu'elle tenait de son père, feu M. d'Abancour. Cet homme avait pratiqué plusieurs métiers. D'abord il était venu au Canada comme marin ; puis il s'était fait trappeur, coureur des bois, interprète et enfin cultivateur.

À quelques pas de là, sur la plage, un second personnage, compagnon du premier, s'appuyait sur la pince d'un canot d'écorce à moitié tiré à sec sur la rive. C'était un Sauvage de haute stature, à la peau luisante et couleur de cuivre, au regard perçant et fier. Il était à demi-nu et le vent du matin gonflait par derrière le manteau de peau de castor qui recouvrait négligemment ses épaules et laissait découverts la poitrine et les bras.

– Mon frère ! lui cria Joncas, ne crois-tu pas que la marée commence à monter ?

– Oui, camarade, répondit le Renard-Noir, dont le regard se glissa comme un trait sur le fleuve.

– Et nos gens qui n'arrivent pas ! Je leur ai pourtant bien dit que nous n'aurions pas trop de tout le montant pour nous rendre afin de pouvoir entrer dans la rivière à Lacaille au commencement du baissant et avant que les battures soient trop découvertes. Le vent ne donne pas mal ; mais il n'aurait qu'à tomber... Ah ! les voilà, je crois.

Joncas regardait vers le haut de la rue Sous-le-Fort. Il aperçut un groupe de personnes qui descendaient de la haute-ville et s'approchaient.

– Oui, reprit-il, c'est madame et sa suite.

Un instant après apparurent Mme Guillot, qui se retenait au bras de son fils Louis Jolliet, et Mlle de Richecourt, s'appuyant sur l'avant-bras galamment arrondi du chevalier de Mornac. Derrière eux venait le sombre Vilarme, qui jetait des regards farouches sur Jeanne et son cavalier. Enfin suivait Jean Couture, l'un des garçons de ferme de Mme Guillot. Il était chargé de paniers et d'effets. Chacun, à l'exception des deux femmes, était armé d'un mousquet. Mornac et Vilarme avaient en outre des pistolets à la ceinture.

C'était chose sérieuse, à cette époque, qu'un voyage d'une dizaine de lieues. On dit même que les bons bourgeois de Québec ne s'embarquaient jamais pour les Trois-Rivières ou Montréal sans s'être confessés avant leur départ et avoir fait leur testament. Les temps ont un peu changé, Dieu merci !

– Embarque ! embarque ! cria Joncas d'aussi loin qu'il se put faire entendre.

– Ce bon Baptiste est pressé, à ce qu'il paraît, dit Mme Jolliet en hâtant le pas.

Comme ils arrivaient sur le rivage, les apprêts de l'embarquement occasionnèrent quelque va-et-vient. Mlle de Richecourt en profita pour dire rapidement à l'oreille de Mornac, car il semblait frémir d'impatience :

– Je vous en prie, mon cousin, ne faites pas maintenant d'esclandre ! Laissez ce vilain homme nous accompagner. Nous n'aurions pas pu converser à notre aise dans la chaloupe, en supposant même que ce Vilarme n'eût pas été avec nous. Une fois là-bas, je me charge de le tenir à distance. Je me sentirai forte à côté de vous. Alors nous causerons. Mais, d'ici là je vous en supplie !... Et surtout pas de duel ! S'il allait vous tuer, je resterais seule et sans défense, moi !

Le long regard suppliant qui les accompagna persuada pour le moins autant Mornac que les paroles de sa belle cousine.

Vilarme n'osait se rapprocher trop brusquement des jeunes gens et ne pouvait les entendre. Mais il fixait sur eux des yeux de vipère.

Au moyen du canot d'écorce, Mme Guillot s'était déjà rendue à bord de la chaloupe, à l'arrière de laquelle elle avait pris place.

– Allons ! mademoiselle Jeanne, c'est votre tour ! lui cria Joncas.

La jeune fille s'assit dans le canot, afin que le Renard-Noir la transportât à bord de la chaloupe.

Comme le canot d'écorce pouvait encore contenir une personne, Vilarme fit un mouvement pour prendre place avec Mlle de Richecourt. Mais celle-ci dit vivement à Mornac :

– Asseyez-vous ici, mon cousin, devant moi et bien au fond, pour ne point faire chavirer le canot.

Vilarme, qui manœuvrait ainsi pour se placer, dans la chaloupe, auprès de Jeanne, se mordit la lèvre et resta blême de colère sur la grève.

Si tous ces préparatifs de départ n'eussent pas absorbé l'attention de nos personnages, ils auraient peut-être pu voir, en ce moment, au coin d'une des maisons les plus rapprochées de la rue Sous-le-Fort, un homme qui semblait épier les voyageurs. Son corps était caché, mais son épaule droite et sa tête, au sommet de laquelle se balançaient des plumes d'aigle, dépassaient l'angle de la maison.

C'était Griffe-d'Ours, le chef iroquois.

Un quart d'heure auparavant, lorsque Mlle de Richecourt, Mme Guillot et ses hôtes avaient traversé la place-d'armes pour se rendre à la basse-ville, Griffe-d'Ours et ses guerriers sortaient du château Saint-Louis. D'un coup d'œil, l'Iroquois avait reconnu cette belle jeune fille qui lui avait échappé, la veille au soir.

– La vierge blanche ! s'était-il dit.

Puis il avait glissé quelques mots rapides à l'oreille de ses compagnons, et avait suivi Jeanne et ses amis, sans être remarqué. Les guerriers iroquois avaient modéré le pas, et descendu la côte en se tenant à distance de leur chef, qui les précédait.

Oh ! si Jeanne et ceux qui l'accompagnaient avaient pu remarquer cette attention dont ils étaient l'objet de la part de Griffe-d'Ours, quels malheurs n'auraient-ils pas pu éviter !

Mais tout entiers aux apprêts du départ, ils ne pouvaient rien voir.

Quand Vilarme, Jolliet et le garçon de ferme eurent pris place à bord de la chaloupe, Joncas planta les mâts dans l'ouverture pratiquée au milieu des bancs, fixa les balestons pour tendre les voiles à la brise et borda les écoutes, tandis que Louis Jolliet tenait la barre du gouvernail.

– Mon frère n'embarque donc pas ? dit Joncas au Renard-Noir.

– Un chef préfère son canot, répondit le Huron, qui, assis au fond et à l'arrière de sa pirogue, se mit à jouer hardiment de l'aviron en suivant l'autre embarcation de près.

La brise qui soufflait du sud-ouest gonflait les voiles blanches de la chaloupe, qui, coquettement inclinée à tribord, prit, en suivant l'ondulation de la vague, sa course dans la direction de l'île d'Orléans.

À mesure que les deux embarcations s'éloignaient de la rive, Griffe d'Ours, après avoir quitté son poste d'observation, se rapprochait de la plage. Longtemps il y resta debout et immobile, le regard fixé sur un seul point qui décroissait de seconde en seconde.

Quand il vit les deux voiles de la chaloupe se perdre dans l'éloignement, entre l'île d'Orléans et la Pointe-Levi, et ne sembler plus raser l'eau que comme l'aile d'un goéland, le chef agnier courut rejoindre ses compagnons qui l'attendaient au Cul-de-Sac, en fumant à côté de leurs canots.

Il parla quelques instants à ses guerriers. Ceux-ci donnèrent leur assentiment à sa demande et mirent avec empressement leurs canots à flot. Puis ils s'agenouillèrent dans leurs pirogues qu'ils lancèrent d'un commun élan vers le haut du fleuve, c'est-à-dire dans une direction tout à fait opposée à celle que Mme Guillot et ses hôtes venaient de prendre. Mais ce n'était qu'une feinte de sauvage pour laisser croire aux habitants de la ville, attirés sur le rivage par le départ des Iroquois, que les ambassadeurs retournaient au pays des Cinq Cantons. Lorsque les fourbes eurent assez doublé le Cap-aux-Diamants pour n'être plus aperçus de la ville, ils traversèrent brusquement le fleuve, qu'ils redescendirent aussitôt en rasant le rivage de la Pointe-Lévi. Peut-être vit-on de la ville ces trois canots qui, du côté de Lévi, descendaient le fleuve, mais on ne dut pas y faire grande attention.

Griffe-d'Ours dirigeait le premier canot et se disait, entre deux coups d'aviron.

– La vierge pâle sera bientôt la femme d'un grand chef.

Dans la chaloupe de Joncas et assis à côté de Mlle de Richecourt,

Mornac disait à Mme Guillot, placée en face d'eux, à l'arrière de l'embarcation :

– Les environs de la ville sont donc bien peu sûrs, madame, qu'il faille s'armer jusqu'aux dents pour faire une douzaine de lieues hors de Québec ?

– Oh ! M. de Mornac, on voit bien que vous êtes arrivé d'hier au pays pour me poser pareille question. Mais ne savez-vous pas que pour peu qu'on s'éloigne hors de la portée des canons du fort Saint-Louis, on court risque d'être massacré par les Iroquois ?

– Vraiment ! je vous avouerai que je n'ai pas été médiocrement surpris quand, ce matin, l'un de vos domestiques est venu m'apporter, de votre part, une arquebuse avec six mèches toutes neuves, ainsi qu'un fourniment pourvu d'autant de cartouches qu'il en peut contenir. Quand le valet ajouta que vous me faisiez dire encore de ne pas oublier mes pistolets : Parbleu ! me suis-je écrié, mais il n'en faut pas plus à un soldat pour se bien équiper et mettre en campagne !

– Et le soldat qui s'arme en guerre a peut-être bien moins besoin de ses armes pour sauver sa vie, que nous ici pour aller visiter un voisin. Tenez, je vais vous donner une idée de l'audace de ces Iroquois, à l'endroit desquels je vous souhaite de garder longtemps et toujours l'heureuse ignorance que vous possédez encore.

La chaloupe arrivait en ce moment vis-à-vis le Bout-de-l'Île.

– Voyez-vous cette petite baie ? Nous l'appelons l'Anse-du-Fort. Il y a huit ans, les restes de la malheureuse nation huronne, chassés des grands bois d'en haut, commençaient à respirer en paix sur les bords de cette anse, où ils étaient venus se réfugier. Ils étaient si près de Québec qu'ils se croyaient à l'abri de l'animosité de leurs vainqueurs. Avec cette imprudente confiance qui a causé la perte de la nation entière, ils ne prenaient même plus la peine de se garder. Bien mal leur en prit. L'on était au temps des semailles de 1656. Les Hurons, après avoir entendu la messe, comme ils en avaient l'habitude, s'étaient dispersés dans leurs champs, là, sur les hauteurs. Soudain, des Agniers qui, durant la nuit, s'étaient tenus cachés dans les bois voisins, fondirent sur les travailleurs épars et sans armes ; ils en massacrèrent plusieurs sur place, et emmenèrent plus de soixante prisonniers. Après cet acte de perfidie et de cruauté, les traîtres eurent l'effronterie de ranger leurs canots en ordre de bataille, et de passer ainsi en plein jour devant Québec, en poussant des cris de triomphe.

– Mais, s'écria Mornac, on ne donna pas la chasse à ces bandits !

– Les habitants le voulaient bien, mais M. de Lauzon, le sénéchal de la Nouvelle-France, avec plus de prudence que d'énergie, s'y opposa dans la crainte de compromettre le sort de la colonie. De sorte que nous fûmes contraints de dévorer en silence le chagrin que nous causait un pareil affront. C'est à la suite de ce massacre que ces pauvres Hurons ne se croyant plus, et certes avec raison, en sûreté dans l'île, vinrent planter leurs cabanes auprès du fort Saint-Louis. Vous les y avez vues.

– J'avoue que c'est un trait d'audace dont je n'avais aucune idée ; mais enfin, il y a huit ans qu'il s'est produit. Vous devez être plus tranquilles et moins exposés depuis cette époque. La barbarie a dû reculer devant la civilisation croissante.

– Pas beaucoup, mon cousin, interrompit Mlle de Richecourt. Écoutez plutôt. Il n'y a pas plus de trois ans, en 1661, nous apprîmes à Québec qu'un parti d'Agniers descendus à Tadoussac où ils avaient tué quelques Français et failli prendre les pères jésuites Doblon et Druillette, venaient, en remontant, de tuer huit personnes à la côte Beaupré et sept dans l'île d'Orléans. À la nouvelle de ces massacres, M. Jean de Lauzon voulut porter secours aux habitants de l'île et avertir du danger le sieur Couillard de Lespinay, son beau-frère, qui était parti pour faire la chasse dans les petites îles du voisinage. Dans une chaloupe, avec sept hommes, il longeait, comme nous en ce moment, la côte méridionale de l'île, lorsque, arrivé à la hauteur de la rivière Maheust, que nous allons bientôt dépasser, il voulut s'assurer si les personnes qui habitaient la maison de René Maheust s'étaient retirées ailleurs. Il met à terre et envoie deux hommes pour reconnaître l'état de l'habitation. Celui qui ouvre la porte jette un cri de terreur en se voyant en face de quatre-vingts Iroquois qui se jettent sur lui, le tuent et s'emparent de son compagnon. Comme un torrent qui rompt ses digues les Agniers bondissent ensuite hors de la maison et courent vers la chaloupe en remplissant l'air de leurs hurlements.

Par malheur, le reflux a fait échouer l'embarcation de M. de Lauzon qui s'efforce, avec les siens, de la remettre à flot. Vains efforts, la chaloupe enfoncée dans la vase et le sable reste immobile.

Le désespoir au cœur, les nôtres voient que la fuite est impossible et qu'il leur faut mourir. Tous se recommandent à Dieu, et font face à l'ennemi. Trois fois les Iroquois les somment de se rendre, en leur promettant la vie sauve ; mais nos gens qui savent bien le peu de confiance que l'on doit reposer sur de pareilles propositions, répondent à coups de fusil. Que vous dirais-je de plus ? Tous tombèrent sous le tomahawk des Sauvages, à l'exception d'un seul qui, blessé au bras et à l'épaule, fut fait prisonnier. Le sénéchal que les Iroquois désiraient prendre en vie, se défendit si vigoureusement jusqu'au dernier soupir qu'on dit qu'il eut les bras hachés en morceaux pendant le combat.

– Mordious ! s'écria Mornac échauffé par ce récit, c'était un brave ! Mais dites-moi, belle cousine, ces dangers sont-ils encore aussi fréquents ? Dans ce cas, vous auriez bien mieux fait, ainsi que Mme Guillot de rester à la ville.

– Je vous avouerai, mon cher chevalier, que nous n'avons pas eu de ces catastrophes, aux environs de la capitale, depuis ce temps-là. Mais, en fin de compte, sachez que nous, femmes de ce pays, nous sommes aguerries et que nous apprenons, par la fréquence du danger, à vendre chèrement notre vie. Ainsi, outre que Mme Guillot et moi savons passablement manier l'arquebuse, voici un bijou que je porte toujours sur moi et avec lequel je saurais fort bien me défendre contre un ennemi.

Mlle de Richecourt entrouvrit un des plis de sa robe et tira de sa ceinture un petit poignard à manche d'argent incrusté de perles et de pierreries, longue de six pouces et fort étroite, mais aiguë comme une aiguille. Elle en fit miroiter au soleil la lame brillante et damasquinée et jeta un regard de côté à Vilarme qui, assis en avant, baissa les yeux. Il avait compris.

– Certes ! ma cousine, dit Mornac qui, devant Mme Guillot feignit ne pas avoir saisi l'allusion secrète cachée sous la menace de la jeune fille à l'adresse de Vilarme, certes, je reconnais bien en vous ce sang généreux des comtes de Richecourt dont je m'honore d'être le très humble parent !

Ce Gascon de Mornac !

Cependant le vent tenait bon et la chaloupe courait allègrement par le milieu du chenal, entre l'île d'Orléans, à gauche, et la côte de Beaumont déserte alors, et dont les feuillages jaunis ondulaient à droite, sur le ciel clair du matin, et prenaient des teintes dorées sous les vifs rayons du soleil.

Après avoir remis le poignard dans le ceinturon qui emprisonnait sa taille, Mlle de Richecourt se tourna presque entièrement du côté de Mornac ; et là, pensive, la tête à demi inclinée, les longues torsades de ses cheveux bruns effleurant l'épaule du chevalier, elle laissa traîner le bout de ses ongles dans l'eau fugitive qui, ravie d'aise de baiser une aussi belle main, se prit à babiller aussitôt et à pousser de joyeux petits rires.

Assis derrière elle, à la barre, Louis Jolliet qui aurait craint de regarder trop longtemps la jeune fille en face, la contemplait maintenant d'un air rêveur et triste. Entre les boucles épaisses de la chevelure de Jeanne, il apercevait la courbe gracieuse de sa joue fraîche et veloutée, la naissance de son cou blanc, avec les cheveux follets qui se tordaient capricieusement sur la nuque, ainsi que de mignons fils de soie bronzée.

– Mon Dieu ! qu'elle est belle et que je l'aime ! se dit Jolliet.

Car il adorait Jeanne comme un fou, ce pauvre enfant, avec toute l'ardeur de ses dix-huit ans et de sa pure jeunesse, avec cette passion craintive de son âge, sentiment tout éthéré qui ne redoute rien tant qu'un aveu.

Tous, nous avons savouré ce premier et délicieux amour qui survit à toutes les affections d'un âge plus avancé, et illumine les beaux jours de l'adolescence comme la pure lumière d'un phare lointain dans une nuit calme de printemps. Béni soit Dieu de nous octroyer au matin de la vie ces divins mais trop courts moments d'extase dont le seul souvenir nous fait encore tressaillir de bonheur alors que, le cœur meurtri par les déceptions de l'âge mûr, nous avons vu s'évanouir, une à une, nos plus chères illusions.

Il y avait deux ans que Louis aimait Mlle de Richecourt, c'est-à-dire, depuis le jour où son cœur s'éveillant à la vie des passions, lui avait révélé qu'il existe un autre amour, plus vif, plus ardent, plus extatique que celui d'un bon fils pour sa mère. Eh ! comment ne l'aurait-il pas aimée, cette belle jeune fille, dont le hasard avait fait sa compagne de chaque jour. Depuis deux ans il adorait Jeanne qui ne s'en doutait pas. Car lorsque le pauvre garçon se prenait à songer qu'il osait, lui, presque enfant, lui, peu fortuné, jeter des yeux de convoitise sur la riche et brillante demoiselle de Richecourt, il se sentait pris d'effroi, et sa passion lui semblait d'une telle folie qu'il se jurait de ne la laisser jamais deviner à celle qui en était l'objet. Il s'était tenu parole ; jamais un mot, un regard, un geste ne l'avait trahi. Pourtant, il sentait bien que du jour où Jeanne laisserait le toit de Mme Guillot pour suivre un époux qui ne serait pas lui, il sentait que son cœur se briserait.

Oh ! qu'il en est de jeunes filles qui effleurent ainsi, sans le savoir, un sentiment vrai, généreux, brûlant. Elles n'auraient qu'à tendre la main, qu'à pencher une joue rougissante en attirant avec adresse, sur des lèvres qui n'ont jamais su mentir aux élans du cœur, l'aveu de ce sincère amour qui ne se rencontre que chez les très jeunes gens, et elles verraient le bonheur escorter leur vie entière. Mais non, elles passent indifférentes et froides auprès de ce jeune homme franc et noble encore, et s'en vont plus loin mendier les regards et les promesses d'un homme de trente ans qui ne croit plus à l'amour mais songe *à s'établir* et passe, surtout, pour en avoir les moyens. Celui-ci, du moins est mûr pour le mariage... Quelques mois après, elles pleurent leurs beaux rêves à jamais envolés !

Louis Jolliet regardait donc la jeune fille et sentait une larme rouler dans ses yeux.

– Oh ! que n'ai-je cinq ans de plus ! se disait-il. Que ne suis-je gentilhomme avec une belle et brillante lame au côté, avec une grande plume ondoyante à mon feutre, comme cet heureux chevalier de Mornac. Oh ! je lui dirais alors en tombant à ses genoux : – Jeanne, je vous aime comme un insensé ! Je suis pauvre, je n'ai rien à vous offrir que mon cœur et mon épée. Veuillez en accepter l'offrande, et je me relève radieux, et je cours là où se trouvent et gloire et fortune. Dans un an, dans trois ans je reviendrai glorieux et digne, peut-être, de vous. – Mais, hélas !...

Le pauvre garçon se sentit si misérable qu'un gros soupir vint se briser dans sa gorge. Telle fut la douleur qu'il en ressentit, qu'il ne put étouffer une espèce de sanglot que tous entendirent, à l'exception de Vilarme et de Joncas.

Mme Guillot examinait, depuis quelques instants, son fils à la dérobée. Son cœur se serrait. Avec ce regard profond d'une mère, elle devinait tout et pouvait à peine retenir une larme. Car elle sentait qu'il se détachait de son sein comme un lambeau sanglant de l'affection de son fils. Il allait aimer une autre femme ! Toutes les mères ressentent cette douleur jalouse et beaucoup ne la peuvent cacher. Inutile de dire que ce sentiment de jalousie se développe encore davantage à l'égard du gendre ou de la bru qui, depuis près de six mille ans, succombent chaque jour dans leur lutte impuissante contre la perfide influence des belles-mères.

– Eh bien! qu'avez-vous donc, mon jeune ami? demanda Mornac à Jolliet, pour rompre le silence qui régnait depuis quelques minutes.

– Rien... un peu de rhume causé, je crois, par la fraîcheur du matin, répondit Jolliet en rougissant jusqu'aux yeux.

Vilarme tournait le dos, et, pour se donner quelque contenance, causait avec Baptiste Joncas. Celui-ci, à moitié couché sur un banc, regardait prosaïquement s'enfuir les côtes boisées de l'île d'Orléans. Vilarme lui parlait pêche et chasse et le questionnait spécialement sur les différentes espèces de gibier qui gîtent dans les îles situées en face de la Pointe-à-Lacaille. Joncas répondait de son mieux, tout en se disant que la figure de son interlocuteur ne lui allait en aucune sorte.

Pendant ce temps, le Renard-Noir nageait hardiment à l'arrière de son canot. Manié par le bras musculeux du Sauvage, l'aviron coupait la vague, montait et redescendait avec une puissante régularité. Aussi la pirogue glissait-elle avec la rapidité d'un saumon sur la surface de l'eau. Tout occupé que fût le bras du Huron, son œil ne l'était pas moins. Ses regards allaient sans cesse d'un rivage à l'autre, sondant chaque anse, scrutant chaque pointe, interrogeant les rochers et les buissons qui bordaient la grève de l'île d'Orléans et celle de la côte du Sud. Il regardait ainsi pour ne pas être surpris et pour se garder de tomber dans une embuscade iroquoise.

Mais les deux rives étaient silencieuses et désertes et nul être vivant n'en troublait la solitude, à l'exception, toutefois, de quelque goéland dont le blanc plumage se dessinait sur le fond bleu de l'eau et qui, perché sur une roche isolée, s'envolait au passage des voyageurs qu'il saluait de son cri moqueur et strident. Quelques bandes de canards et d'outardes sauvages, qui nageaient en plein fleuve, se levaient bien aussi de ci et de là, avec un grand bruissement d'ailes et de cris pour aller s'abattre et continuer un peu plus loin leurs ablutions matinales et leurs ébats sur l'eau profonde.

À part ces quelques bruits de la nature, la solitude était complète. L'œil des voyageurs, frappé de ce grand silence qui pesait sur une région presque vierge encore, suivait rêveur et surpris le faîte onduleux et jaunissant des forêts primitives mirant leurs énormes troncs moussus sur les bords de la rive droite du fleuve qui roulait majestueusement ses grandes eaux à leurs pieds séculaires.

Dans l'éloignement, à gauche, les hautes Laurentides dressaient dans le ciel pur leurs flancs bleuâtres et leurs cimes tourmentées. De ce côté, elles bornent fièrement l'horizon et dominent de leurs masses imposantes le Saint-Laurent qui semble reconnaître son impuissance à rompre jamais cette digue gigantesque, et baise, en passant, leurs pieds comme un esclave soumis.

Là-bas, en avant des embarcations, émergeait du sein de l'onde un groupe d'îles qui, dans un parcours de plus de dix lieues, élèvent au-dessus de l'eau leurs têtes curieuses comme pour regarder couler les flots.

Enfin, tout au fond, vers le golfe, l'eau seulement, rien que l'eau, avec le ciel au-dessus, l'immensité et Dieu.

Il pouvait être une heure de l'après-midi et le soleil resplendissant de ce beau jour d'automne commençait à incliner du côté de l'Occident. Les deux embarcations se trouvaient vis-à-vis de l'endroit sauvage alors, où s'élève aujourd'hui le joli village de Saint-Michel. À bord de la chaloupe, la conversation languissait. Chacun y suivait le cours de ses pensées, regardait l'eau s'enfuir et se laissait bercer, avec ses rêveries, au doux roulis des lames.

Seul dans son canot le Renard-Noir allait ramant toujours. Mais depuis quelques minutes il se retournait fréquemment pour regarder en arrière. Il semblait inquiet. Rien pour le préoccuper en avant. Les rives y étaient désertes. Mais là-bas, sur le chemin déjà parcouru, quelque chose, un point noir entrevu sur l'eau, l'avait troublé. Il avait cru voir, à plus d'une lieue en arrière, un canot qui les suivait de loin. Maintenant son œil se lassait en vain d'interroger la surface du fleuve. Une éblouissante traînée de lumière, produite par la réverbération des rayons du soleil, s'épandait sur l'eau tranquille et empêchait le Sauvage d'embrasser entièrement en arrière toute la largeur du fleuve. À deux ou trois reprises, il lui avait bien semblé entrevoir encore cette tache noire et mobile au milieu de la gerbe lumineuse qui, dans un vaste parcours, faisait miroiter l'eau. Mais son œil ébloui par l'éclat de ces innombrables scintillations se fermait aussitôt malgré ses efforts.

Enfin le canot, qui les suivait de loin, après être sorti de cet éblouissant foyer de lumière, lui apparut soudain se dirigeant du côté de l'île d'Orléans près des rives de laquelle il disparut bientôt.

L'attention du Renard-Noir se trouvait tellement concentrée sur ce seul point, qu'il ne remarqua pas deux autres canots qui, sur une ligne parallèle au premier, suivaient aussi de loin nos voyageurs, en longeant la côte du Sud.

Après avoir constaté que le canot suspect gagnait l'île, le Sauvage pensa qu'il n'y avait rien à craindre, et reprit sa quiétude première en continuant à ramer de l'avant.

– Si nous mangions quelque chose, dit tout à coup Mme Guillot.

– Mais c'est une fort heureuse idée, répliqua Mornac.

– Oui, le grand air m'a ouvert l'appétit, dit Jolliet pour se donner un peu de contenance ; car il n'avait presque point parlé depuis le départ.

Mme Guillot se fit passer le panier aux provisions. Il contenait un frugal repas : du pain, du beurre, du lard et du fromage, accompagnés, je dois le dire, d'une bonne bouteille de vin d'Espagne.

Ce goûter, pris sur le pouce, mit fin au silence et l'on se remit à causer en mangeant. On allait dépasser bientôt la pointe de Berthier. La marée commençait à baisser.

– Si le vent tient toujours du *sorouet,* dit Joncas, nous serons arrivés dans une heure.

– Nous ne sommes donc pas loin de la Pointe-à-Lacaille, dit Mornac après avoir avalé, avec évidente satisfaction, un demi gobelet d'un vin rouge et généreux.

– Nous n'avons plus qu'une couple de lieues à faire, répondit Joncas en allumant sa pipe, brûle-gueule tout noirci par l'usage.

– Comment nommez-vous ces îles qui s'étendent à notre gauche, demanda Mornac à sa cousine qui grignotait de ses dents blanches une croûte de pain dorée.

– Nous avons passé, tout à l'heure, l'île Madame. Celle que vous voyez là-bas, un peu enfoncée vers la côte du Nord, est l'île Patience. En deçà, et en avant de nous sont l'île aux Beaux et la Grosse-Île, l'île Sainte-Marguerite les suit. Après viennent plusieurs petits îlots, puis l'île aux Grues, et la dernière que vous apercevez là-bas, en avant, l'île aux Oies. Ces deux dernières sont seules habitées par deux ou trois familles. Est-ce bien cela, monsieur Joncas ?

– Oui, mademoiselle, mais il faut, tout de même, que vous ayez une fière mémoire, puisque vous n'êtes venue ici que deux fois et qu'il y a plus de deux ans que je vous ai donné ces noms-là.

– C'est dans le voisinage d'une de ces îles, remarqua Mme Guillot d'un air attristé, que mon pauvre père, M. Adrien d'Abancour, se noya avec M. Étienne Sevestre, le 2 mai 1640. Ils étaient allés chasser de compagnie dans ces parages et l'on suppose que leur canot chavira. Un an plus tard, mon premier mari, feu M. Jean Jolliet, trouva les ossements de mon père sur le rivage d'une de ces îles, et les apporta à Québec où la sépulture en fut solennellement faite.

– Ces deux ou trois taches blanches que vous apercevez tout là-bas, presque à fleur d'eau, sur le bout de l'île aux Oies, repartit Jeanne, pour chasser les tristes souvenirs de Mme Guillot, sont l'habitation et les bâtiments qui appartiennent à la famille Moyen, avant qu'elle n'eût été massacrée par les Iroquois.

– Y a-t-il longtemps de cela ? demanda Mornac.

– Il y a, je crois, neuf ans, mon cousin, que ce funeste événement eut lieu. Le sieur Moyen, bourgeois de Paris, qui était établi avec sa famille, dans l'île aux Oies, fut surpris dans sa maison par des Agniers, pendant que ses serviteurs étaient absents. Il fut tué avec sa femme ; ses enfants, ainsi que ceux du sieur Macard, furent emmenés captifs. L'aînée des deux demoiselles Moyen se maria, deux ans plus tard, avec le brave sergent-major, Lambert Closse, le héros du Montréal qui a été tué aux environs de cette ville, il y a deux ans, dans un combat contre les Iroquois.

Tout en devisant ainsi, on arriva, sur les deux heures et demie à la Pointe-à-Lacaille qui avançait dans le fleuve ses quelques arpents de rochers boisés.

Quand on l'eut dépassée d'une centaine de perches, le jeune Jolliet remit à Joncas la barre du gouvernail, car il fallait ne pas manquer l'embouchure et le chenal de la petite rivière à Lacaille, manœuvre assez difficile, vu la longueur des battures et le peu de profondeur de l'eau.

L'embarcation inclina à droite en gagnant la rive sud, basse, plate et partout boisée à l'exception, toutefois, d'une centaine d'arpents carrés qui étaient défrichés et ensemencés, et où s'élevaient trois ou quatre maisons de bois blanchies à la chaux, dont la plus grande et la plus rapprochée, sur la rive ouest de la petite rivière à Lacaille, appartenait à Mme Guillot.

À l'une des croisées de cette habitation flottait une banderolle bleue pour signifier aux arrivants qu'ils n'avaient rien à craindre et que tout aux environs était tranquille.

En entrant dans la rivière à Lacaille, aux acores basses, garnies d'ajoncs et de broussailles, le Renard-Noir jeta un dernier coup d'œil en arrière. Mais il ne remarqua rien d'insolite. L'éloignement l'empêchait de distinguer un canot d'écorce qui, à deux lieues au large, venait de s'arrêter vis-à-vis de nos voyageurs et près de l'île Sainte-Marguerite avec les bords de laquelle il se confondait facilement pour quiconque ignorait, en ce lieu, la présence de la pirogue. D'un autre côté, si la Pointe-à-Lacaille ne se fût pas interposée entre les regards du Huron et le rivage de Berthier, il aurait certainement distingué deux canots qui faisaient force des rames en rasant de près la côte du Sud. Ces derniers, suivant la manœuvre du canot isolé qui venait de s'arrêter près de l'île Sainte-Marguerite, et qu'une attention soutenue et prévenue permettaient à leurs yeux de lynx d'entrevoir au large, arrêtèrent aussi leur course à peu près une demi-lieue au-dessus de la Pointe-à-Lacaille.

Ceux qui montaient ces deux derniers canots débarquèrent sur le rivage et s'enfoncèrent dans le bois plein d'ombre et de silence où ils firent halte, après avoir emporté leurs pirogues avec eux.

De l'autre côté, le canot de l'île Sainte-Marguerite venait aussi de disparaître tout à fait.

Pendant ce temps-là, nos connaissances, réjouies d'être arrivées sans encombre, mettaient pied à terre à quelques pas de l'habitation de Mme Guillot, où la jeune femme de Joncas reçut ses maîtres avec un joyeux empressement.

VI

Souvenirs du passé

Lorsque vous sortez du bassin de Saint-Thomas de Montmagny et que vous remontez le fleuve en longeant la côte du Sud, vous apercevez, à peu près une demi-lieue en avant, une humble rivière qui traîne ses eaux vaseuses jusqu'au Saint-Laurent. C'est la rivière à Lacaille près de l'embouchure de laquelle s'élevait jadis le premier village de Saint-Thomas.

De cet établissement primitif qui portait le nom de Pointe-à-Lacaille, à peine reste-t-il, à demi enfouies au pied de la falaise, quelques pierres qui firent autrefois partie des murailles de la vieille église bâtie et bénite en 1686, sur un terrain concédé par le sieur Guillaume Fournier au missionnaire de l'endroit, messire Morel.

Le lecteur curieux de connaître l'histoire de la vieille église peut se renseigner en lisant les jolies pages que M. Eugène Renault a consacrées, dans les *Soirées Canadiennes* de 1864, à ces ruines que les flots rongeurs ont fini par entraîner avec eux dans le lit du fleuve.

Pour moi, comme l'époque où j'ai placé le présent récit me reporte à vingt ans avant la construction de la vieille église, je ne m'occuperai pas davantage des souvenirs qui se rattachent à ses ruines. Il me suffira de dire qu'un siècle après l'érection du petit temple de la Pointe-à-Lacaille, les habitants du lieu voyant que les flots avaient, depuis cent ans, rongé une douzaine d'arpents de la falaise, et menaçaient d'envahir bientôt et la chapelle et les habitations du hameau, abandonnèrent tout à fait un endroit si dangereux, et s'en allèrent, une demi-lieue plus bas, construire une autre église et de nouvelles demeures sur les lieux où s'élève aujourd'hui le grand village de Saint-Thomas. J'allais dire la petite ville de Montmagny, mais j'ai craint que mon titre d'enfant de la place ne me fit taxer d'orgueil.

J'ai déjà dit, je crois, qu'il n'y avait à la Pointe-à-Lacaille, en 1664, que deux ou trois maisons d'assez pauvre apparence. C'est qu'en effet l'établissement commençait à peine, et qu'il devait bien s'écouler une quinzaine d'années, après la venue des premiers colons, lorsqu'on crut devoir y tenir des registres, en 1679.

Selon l'opinion de M. l'abbé Tanguay, et c'est la plus naturelle, le nom qui désignait la Pointe-à-Lacaille, lui vient de M. Adrien d'Abancour dit Lacaille, noyé en 1640 dans les îles situées en face. M. d'Abancour aurait été le premier propriétaire de la pointe et de la petite rivière qui portent encore le surnom de Lacaille.

D'abord la propriété de M. de Montmagny auquel le roi l'avait cédée le 5 mai 1646, (voir *Bouchette's Topography of Canada*) la seigneurie de Saint-Luc, aujourd'hui Saint-Thomas, appartint ensuite à Noël Morin qui, en 1680, mourut chez son fils Alphonse, lequel s'était établi à la Pointe-à-Lacaille. Leurs nombreux descendants portent le nom de Morin-Valcourt.

Le gendre de Noël Morin, Gilles Rageot, notaire royal et garde-notes à Québec, devint, après son beau-père, seigneur du fief de Saint-Luc, Rivière-à-Lacaille. Leurs nombreux descendants portent le nom de Morin-Vallard et de Guillemette Hébert, succéda, vers la fin du dix-septième siècle aux droits des trois premiers seigneurs.

Ceux qui sont familiers avec notre histoire savent quelle était l'organisation qui présidait à l'établissement des paroisses dans la colonie naissante de la Nouvelle-France. Le roi y cédait un fief à celui de ses sujets qu'il en jugeait digne et qui, en retour, devait à la couronne foi et hommage, avec l'aveu, le dénombrement et le droit de quint, etc., à chaque mutation. Ce seigneur divisait son fief en fermes qu'il concédait lui-même à raison d'un ou de deux sols par arpent et d'un demi-minot de blé pour la concession entière. Les censitaires devaient, en échange, faire moudre leur grain au moulin du seigneur auquel ils donnaient la quatorzième partie de la farine pour droit de mouture, et payer, pour lods et ventes, le douzième du prix de leur terre.

Bien qu'à l'origine les seigneurs possédassent au Canada le redoutable droit de haute, moyenne et basse justice, ils ne l'exercèrent que rarement et l'histoire n'en mentionne aucun abus. À vrai dire, nos seigneurs étaient plutôt des fermiers du gouvernement que les représentants de ces feudataires et tyrans du moyen-âge qui traitaient le peuple comme un vil troupeau d'esclaves taillables et corvéables à merci. Aussi bien, comme le disait Frontenac en 1673, le roi entendait-il qu'on ne les regardât plus que comme des engagistes et des seigneurs utiles. Partant de là et considérant les résultats obtenus, l'on peut dire que ce système de colonisation était l'un des meilleurs que l'on pouvait mettre en usage à cette époque, vu que les seigneurs avaient le plus grand intérêt à attirer des colons sur leur fief et à les bien traiter pour en augmenter rapidement le nombre.

Aux temps difficiles où se reporte cette histoire, chaque petit bourg avait son fort où l'on se réfugiait en cas d'alerte pour résister aux bandes d'Iroquois qui rôdaient continuellement par toute la colonie. Ce fort consistait en une enceinte de pieux et occupait habituellement le centre du bourg. Il entourait assez souvent la demeure seigneuriale et, quelquefois, était défendu par de petites pièces de canon dont les Sauvages avaient grand-peur.

En 1664, il n'y avait pas encore de seigneur résidant au petit établissement de la Pointe-à-Lacaille et M. Louis Couillard de l'Espinay ne devait se faire construire un manoir aux abords du bassin de Saint-Thomas que plusieurs années après ; de sorte que la demeure de Mme Guillot, qui se trouvait la plus ancienne et la plus grande, était protégée par une enceinte de palissades hautes d'une quinzaine de pieds et qui entourait à la fois la maison, la grange et leurs dépendances, toutes situées sur la rive gauche de la Rivière-à-Lacaille.

Les détails qui précèdent laissent voir, en peu de mots, comment se formaient les paroisses dans les premiers temps de la colonie.

Nous rejoignons nos personnages dans l'habitation de Mme Guillot, sur les six heures du soir, avant le souper. Tandis que la maîtresse de céans s'occupe à ranger des assiettes sur une grande table carrée, au milieu de la cuisine, et que la femme de Joncas, est à moitié enfouie sous le haut manteau de la cheminée où la flamme pétille gaiement et rougit le frais visage de la jeune fermière qui surveille avec recueillement la cuisson d'une omelette au lard, Jeanne de Richecourt, Mornac et Jolliet, debout devant les deux fenêtres de la cuisine qui regardent sur le côté du nord, assistent silencieusement au coucher du soleil.

Aussi le spectacle qui attirait leur attention est-il propre à captiver des âmes jeunes et passionnées.

Globe de flamme incandescente, le soleil s'inclinait à l'occident vers la cime des Laurentides derrière laquelle il allait bientôt disparaître. Éclairé fortement par les derniers rayons de l'astre, le sommet du Cap Tourmente se découpait ainsi qu'un immense diadème aux dentelures d'un or ardent comme celui de la Guinée, pendant que le reste du cap reposait à demi effacé dans l'ombre. On aurait dit le grand génie du fleuve, agenouillé sur les bords de son empire et la tête perdue dans les nuages roses du couchant. Sur le parcours de six lieues qui sépare en cet endroit les deux rives, une immense traînée de flamme étreignait le fleuve dont les eaux paraissaient bouillonner sous ce brûlant contact. À l'horizon, au-dessus du soleil et des montagnes, de grands nuages rouges frangés de brillantes teintes cuivrées se déployaient dans l'espace, comme de longs drapeaux de pourpre et d'or, dont les reflets coloraient en rose la tête des monts et le dos rugueux des îles que l'on aurait cru voir flotter au milieu du Saint-Laurent. Ainsi éclairés, ces îlots semblaient être de gigantesques cétacés rougeâtres, qui seraient surgis brusquement des eaux pour contempler ce merveilleux spectacle du roi de la nature, se couchant au milieu de sa cour et environné des splendeurs de sa gloire. À la fin du jour ainsi qu'à l'aurore, la nature entière tressaille d'une telle exubérance de vie que les objets, même inanimés, nous semblent s'agiter comme pour saluer l'astre puissant chargé par Dieu de féconder la terre.

La main droite appuyée sur l'épaule de son cousin Mornac, la tête légèrement inclinée, ses grands yeux bruns animés par cette scène grandiose, Jeanne de Richecourt se laissait doucement bercer au roulis extatique de sa rêverie. La lumière rouge du couchant jetait sur sa figure de fauves reflets qui, plus accentués encore sur les ondes luisantes de sa chevelure noire où ils ruisselaient comme des traits de feu, faisaient ressembler la jeune fille à ces brunes madones que le soleil chaud de leur beau pays inspirait aux artistes de l'Espagne.

Accoudé sur une autre fenêtre, à quelques pieds de Jeanne, Louis Jolliet pensait en soupirant :

– Qu'elle est belle, ô mon Dieu !... Et jamais pour moi !...

– Sandious ! tout beau, mon cœur ! se disait Mornac en contemplant sa belle parente, je crois que vous palpitez plus vite qu'à l'ordinaire. Ah çà ! chevalier, mon ami, allez-vous donc vous énamourer sottement d'une cousine que vous connaissez à peine, vous autrefois la terreur des belles ?... Après tout, mon gentilhomme, savez-vous qu'elle est furieusement gentille, votre parente ! Oui, mordious !...

Dans l'ombre, à quelques pas en arrière, la figure sombre comme celle de Méphistophélès auprès de Faust et de Marguerite, Vilarme examinait les jeunes gens et fronçait ses épais sourcils roux.

– Regardez-vous tant que vous voudrez, mes agneaux, grommelait-il en dedans ; mais je suis près de vous et tant que j'y resterai, vous pourrez difficilement échanger vos confidences. Quant à toi, pauvre petit Jolliet, tu peux, si cela te plaît te crever le ventre de tes soupirs. Je ne te crains pas, car elle ne se doute même point de ton sot amour d'écolier.

Déjà, cependant, le soleil descend et disparaît en arrière des montagnes qui, peu à peu, se sont assombries. Seuls les nuages rouges et dorés qui drapent l'horizon reçoivent encore, grâce à leur élévation, le reflet des rayons du soleil, et ont conservé leurs brillantes couleurs. Mais à mesure que l'astre s'enfonce dans les régions alors inconnues du nord-ouest, les nues ainsi éclairées passent par gradation du rouge pourpre au rose, du rose pâle au jaune clair, et leurs derniers lambeaux d'un blanc lumineux vont s'éteindre à côté de la première étoile dont la sereine lumière s'allume au fond du firmament dans l'ombre de la nuit tombante.

– Allons ! mademoiselle et messieurs, le souper est servi, fit Mme Guillot en se frappant les mains pour tirer ses hôtes de leurs rêveries. Et tous vinrent se placer autour de la table à chaque bout de laquelle fumaient de riches omelettes aux paillettes dorées et croustillantes.

Comme bien on le pense, l'appétit ne fit pas défaut à nos voyageurs et l'entrain augmentant à mesure que la faim se satisfaisait, la causerie devint bientôt générale et très animée. Mme Guillot se piquait d'amuser ses hôtes, Mornac faisait de l'esprit, Jeanne, toute heureuse de sentir à côté d'elle un sûr appui, n'avait pas été si gaie depuis longtemps et Jolliet influencé par l'animation commune avait, par moment, d'heureuses saillies. Seul, Vilarme aurait pu faire une ombre trop prononcée dans ce gai tableau ; mais, sentant combien sa position deviendrait gênante et ridicule s'il continuait à garder ses funèbres airs de croque-mort, il s'efforçait d'être aimable.

L'heure du souper s'écoula donc rapide et enjouée.

Lorsqu'on sortit de table, le jour avait fait place à la nuit qui s'étendait sereine et calme sur les sauvages régions d'alentour.

En se levant de table, Jolliet porta sa chaise auprès du mur et tout à côté de l'une des fenêtres qui regardaient sur le nord ; puis il se rapprocha vivement de la croisée en s'écriant :

– Oh ! venez donc voir la belle aurore boréale !

On accourut aux fenêtres et chacun put contempler la scène féerique offerte ce soir-là, par le ciel à la terre.

D'abord d'une teinte égale et uniforme, une grande lueur blanche, qui s'élevait du côté du nord et montait dans l'espace, se fendit en millions de striures lumineuses et frangées comme les innombrables stalactites suspendues à la voûte de grottes merveilleuses, et sur lesquelles la lumière des torches se réfléchit avec des scintillations infinies.

Ces grands courants, d'un blanc éclairé, commencèrent à se mouvoir, à courir avec rapidité sur le fond du ciel sombre. Tantôt avec la vitesse de la fusée qui part, ils se déroulaient dans le firmament comme d'immenses rubans de satin blanc et moiré qui ondoyaient sur l'obscurité de la nuit avec des reflets argentés. Puis, comme secoués par un souffle mystérieux, ils se balançaient un moment au-dessus de la terre assombrie et se repliaient soudain sur eux-mêmes avec la promptitude d'un éclair qui s'éteint.

Reprenant après leur nuance égale et primitive, ils allaient se développer au-dessus de l'horizon comme un large turban, enroulé sur la tête du globe, et qui faisait miroiter dans l'infini son céleste tissu piqué, çà et là, de fils d'or figurés par les étoiles scintillant au travers de ces vaporeuses clartés.

Tantôt ils se séparaient distinctement, et, ainsi qu'une folle troupe d'esprits titaniques, ils couraient aux quatre coins de l'horizon, formaient une gigantesque chaîne et dansaient autour des mondes la ronde la plus fantastique et la plus échevelée.

Ils allaient, tournant si vite, qu'à les regarder, l'œil se sentait pris de vertige, quand tout à coup, ce grand cercle mouvant se resserre, se rétrécit encore, s'amincit vers son centre et s'arrête immobile, mais toujours lumineux, au milieu du ciel où il forme un soleil énorme dont les rayons sans nombre dardent en dehors leurs traits pâles et tremblotants. Sombre d'abord, le centre de cet astre éphémère prend bientôt une couleur rougeâtre qui devient pourpre en un moment, tandis qu'un brillant météore s'allume au sein de ce soleil étrange, éclate, tombe vers la terre, en laissant à sa suite une fugitive traînée tricolore, jaune, verte et rouge, et va s'abîmer au loin vers le bas du fleuve qui s'empourpre un instant d'une teinte enflammée, puis rentre dans l'obscurité.

Et, comme si c'était un signal de retraite, le cercle aux rayons agités là-haut se brise, et les courants de lumière diaphane se dispersent et s'éteignent dans l'air, poursuivis par la lueur sanglante du centre, laquelle grandit, s'épaissit, s'étend victorieusement dans l'insondable coupole du ciel qui longtemps, durant la nuit, garda cette couleur d'un rouge effrayant.

Les spectateurs de cette scène grandiose restèrent silencieux tout le temps qu'elle dura.

Quand le météore s'éteignit dans le fleuve, Mornac s'écria :

– Voilà, sandis ! qui est magnifique !

– Ce spectacle est en effet terriblement beau, repartit Mlle de Richecourt. Il me rappelle ceux qui précédèrent le tremblement de terre de l'hiver dernier. Dieu nous garde, cette année, de semblables agitations.

– Ce fut donc bien effrayant ? demanda Mornac en accompagnant cette question d'un regard brûlant qui fit baisser les longs cils noirs de Mlle de Richecourt.

– Oh ! oui ! répondit Jeanne.

– Mais veuillez alors m'en faire le récit ?

– Bien volontiers, mon cousin. Sachez d'abord que, durant l'automne de 1662, le ciel sembla nous donner des avertissements par des phénomènes pareils à ceux d'aujourd'hui et plus terribles encore. « Au milieu du mouvement rapide et brillant des aurores boréales, des météores ignés, sous la forme de serpents embrasés, s'enlaçaient les uns dans les autres et volaient par les airs, portés sur des ailes de feu. Tout le monde put voir à Québec un grand globe de flammes qui faisait un assez beau jour pendant la nuit, si les étincelles qu'il dardait de toutes parts n'eussent mêlé de frayeur le plaisir qu'on prenait à le voir. Les habitants de la côte de Beaupré en remarquèrent un semblable s'étendant au-dessus de leurs champs comme une grande ville dévorée par l'incendie. Leur terreur fut extrême, car ils crurent qu'il allait tout embraser. Un même météore parut sur Montréal ; mais il semblait sortir du sein de la lune, avec un bruit qui était celui des canons et des trompettes, et s'étant promené trois lieues en l'air, fut se perdre enfin derrière la grosse montagne dont cette ville porte le nom. »

Ces phénomènes continuèrent de se faire voir durant une partie de l'hiver, lorsque arriva le lundi gras qui était le cinquième jour de février. « La journée avait été belle et sereine. Bien des gens avaient commencé à célébrer le carnaval par les amusements ordinaires, lorsque, vers les cinq heures et demie du soir, on sentit dans toute l'étendue du pays un frémissement de la terre, suivi d'un bruit ressemblant à celui que feraient des milliers de carrosses lourdement chargés et roulant avec vitesse sur des pavés. Bientôt cent autres bruits se mêlèrent à ces deux premiers : tantôt l'on entendait le pétillement du feu dans les greniers, tantôt le roulement du tonnerre, ou le mugissement des vagues se brisant contre le rivage ; quelquefois on aurait dit une grêle de pierres tombant sur les toits ; le sol se soulevait et s'affaissait d'une manière effrayante ; les portes s'ouvraient et se fermaient avec bruit ; les cloches des églises et le timbre des horloges sonnaient ; les maisons étaient agitées comme des arbres, lorsque le vent souffle avec violence ; les meubles se renversaient, les cheminées tombaient, les murs se lézardaient ; les glaces du fleuve, épaisses de trois ou quatre pieds, étaient soulevées et brisées comme dans une soudaine et violente débâcle. Les animaux domestiques témoignaient leur crainte par des cris et des hurlements ; les poissons eux-mêmes étaient effrayés, et, au milieu de tous les sons discordants, l'on entendit les rauques soufflements des marsouins aux Trois-Rivières où jamais on n'en avait entendu auparavant. »

– En effet, ce devait être effrayant, dit Mornac avec un sourire. Mais passant par votre bouche charmante, ces détails sont ravissants.

– Ne raillez pas, chevalier, car tout brave que vous soyez, vous auriez eu frayeur comme tous ceux qui furent témoins de ce bouleversement. « Bien que personne ne fût blessé, ni aucune maison renversée, la pensée que la fin du monde arrivait, s'était emparée des esprits ; aussi se croyant aux portes de l'éternité, chacun se préparait au jugement dernier. Le mardi gras et le mercredi des cendres ressemblèrent au jour de Pâques, par le grand nombre de personnes qui s'approchèrent de la sainte table, et tout le temps du carême continua de présenter le spectacle le plus édifiant. »

– Et vous pensez que les phénomènes célestes qui apparurent l'automne précédent, étaient des signes précurseurs du tremblement de terre ?

– Pourquoi pas ?

– Alors ceux de ce soir nous annonceraient donc aussi quelque malheur ? reprit l'incrédule Mornac en souriant.

– Tenez, mon cousin, si vous voulez m'en croire, répondit Jeanne avec un air plus sérieux, ne badinez pas là-dessus.

– Non, Seigneur ! s'écria soudain la femme de Joncas qui allumait une chandelle. Non, Monsieur, ne vous moquez pas de ces choses-là. Cela nous porterait malheur.

– C'est vrai ! fit Mme Guillot en jetant un regard de tendresse sur son fils.

Mornac s'apercevant que son esprit railleur paraissait affecter péniblement les dames, dit d'un ton plus sérieux au Renard-Noir qui, les yeux encore fixés sur le ciel rouge, n'avait pas prononcé un mot depuis le souper :

– Et vous, chef, que pensez-vous de ces choses-là ?

Après un moment de silence, le Huron répondit :

– Le pauvre Sauvage n'a pas toute la science d'un homme blanc, et ses croyances, bien qu'il soit aussi chrétien, sont différentes des tiennes sur beaucoup de choses. Tu ne vois, sans doute, dans ces signes que des effets produits par une cause naturelle. Mais mes pères à moi m'ont appris, et je respecte à ce sujet leurs enseignements, que ces brillants esprits qui courent ainsi le soir, dans le territoire des nuages, sont les âmes de nos ancêtres qui s'agitent là-haut pour avertir leurs petits-fils d'un danger prochain. Lorsque nous fûmes chassés par nos ennemis des bords du grand lac, où blanchissent maintenant les os desséchés de tous ceux qui nous furent chers, nos tribus en reçurent longtemps d'avance, l'avertissement par de pareils signes. Mais le Grand-Esprit avait frappé ses fils d'aveuglement. Comme des vieillards qui, sur le soir de la vie, ne peuvent plus distinguer la lumière du feu de leur cabane, nous étions frappés d'aveuglement. Bien loin d'être sur leurs gardes, mes frères, malgré mes conseils et ceux de quelques anciens, se laissèrent surprendre par l'ennemi et la grande nation huronne fut écrasée, le peu qui en restait arraché du pays aimé de ses pères et dispersé au loin comme les feuillages de la forêt sous le souffle puissant des vents de l'automne.

– J'ai entendu parler, en effet, des malheurs de votre race, dit Mornac qui ne raillait plus. Mais j'en aimerais bien entendre le récit de la bouche même de l'un des acteurs de cette tragédie. Cependant j'ai peur de réveiller vos douleurs en vous priant de me les raconter.

Le Huron réfléchit et dit :

– Le guerrier vaincu doit songer quelquefois à ses défaites pour en savoir éviter de nouvelles, et penser aux maux que lui ont fait ses ennemis pour ne pas oublier que la vengeance est douce au cœur de la victime tant qu'il lui reste encore un battement de vie. Mon fils est jeune et la parole d'un guerrier, qui pourrait être son père par l'âge et l'expérience, lui sera d'un enseignement utile en lui exposant la ruine d'une nation autrefois maîtresse de ces contrées.

Durant cet échange de paroles entre le Huron et Mornac, les dames étaient allées s'asseoir auprès du feu qui flambait dans la cheminée, Jeanne à côté de Mme Guillot. Toutes deux s'occupaient à des travaux d'aiguille, tandis que la femme de Joncas, après avoir tout rangé dans sa cuisine, s'asseyait auprès de son rouet à quelque distance de sa maîtresse et se mettait à filer.

Mornac, pour ne pas paraître poursuivre sa belle parente, s'adossa contre la fenêtre, à côté de Jolliet, et Vilarme auprès d'eux. Joncas, qui venait d'allumer sa pipe avec un des tisons de l'âtre, fumait en silence à côté de sa femme, un peu perdus tous les deux dans l'ombre. Quant au Renard-Noir, il alla s'appuyer contre l'un des pans de la cheminée. Là, debout, la figure à demi éclairée par les lueurs du foyer, regardant ses auditeurs en face, il commença d'une voix profonde et grave :

– La forêt avait reverdi seulement quatre fois au-dessus de ma jeune tête, lorsque le grand chef des blancs, qu'ils appelaient Champlain, vint établir, sur le cap de Stadaconna, la vaste bourgade que nous avons quittée au commencement du jour qui vient de s'éteindre. Depuis ce temps-là, l'hiver a soixante fois blanchi les branches des bois.

« Notre nation, celle des Ouendats que les blancs ont nommés

Hurons, était la plus puissante de toutes les tribus qui couvraient les terres de chasse du Canada. Les armes et le nombre de ses guerriers la faisaient respecter au loin. La petite peuplade des Iroquois osait pourtant croiser ses tomahawks avec les nôtres et ne craignait même pas de nous attaquer. Ses guerriers étaient moins nombreux, mais plus unis, plus vigilants, plus rusés, plus cruels que les nôtres portés à préférer les expéditions de chasse aux courses continuelles dans les sentiers de guerre. Que mes frères blancs ne croient pas que nos guerriers, une fois au combat, fussent moins braves, moins forts, moins agiles que ceux des Cinq Cantons. Mes frères se tromperaient. Mais ce qui finit par causer la perte de ma nation, c'est que le Grand-Esprit a toujours donné à ses enfants hurons des cœurs plus doux et des yeux moins épris de la vue du sang que ceux de nos ennemis. Tandis que les Iroquois ne craignaient point de venir se cacher aux environs de nos villages pour enlever quelques chevelures, nos guerriers, qui rêvaient de grandes chasses aux caribous, se laissaient quelquefois surprendre jusque dans leurs cabanes.

« Nous étions encore les plus nombreux et les plus forts, lorsque dans l'été qui suivit l'arrivée du puissant chef blanc, mon père Darontal, qui était le grand capitaine de notre nation, pria le vôtre d'accompagner, avec quelques soldats blancs, nos hommes de guerre dans une expédition contre les Cinq Cantons iroquois. Vos armes merveilleuses et terribles, alors inconnues aux enfants de la forêt, devaient nous aider beaucoup en frappant nos ennemis d'épouvante. Ce qui arriva. Dès que les Iroquois eurent vu les éclairs, entendu le tonnerre sortir de vos armes et jeter la mort dans leurs rangs, ils se sauvèrent dans les bois où nos guerriers les poursuivirent bien loin. Je me souviens d'avoir entendu raconter cette victoire par mon père lorsque, à son retour, il suspendit au poteau du ouigouam, les scalps des ennemis qu'il avait tués. »

Au souvenir des exploits de son père, la figure bronzée du Renard-Noir s'anima d'un noble orgueil. Ses yeux, où les lueurs du foyer venaient se réfléchir, semblaient lancer des flammes. Après quelques instants de silence il reprit :

« – J'avais continué de croître et mes yeux avaient vu dix fois la neige fondre autour de nos cabanes, lorsque le grand chef blanc vint passer un hiver sous le ouigouam de mon père Darontal. C'était à la suite d'une seconde expédition contre nos ennemis les Iroquois. Elle avait été moins heureuse que la première, et les nôtres avaient été obligés de s'en revenir au pays, après avoir tué pourtant beaucoup d'ennemis. La saison des neiges était proche et nos guerriers n'avaient pas voulu se hasarder à escorter votre capitaine jusqu'à Stadaconna. Ils l'avaient décidé à passer l'hiver dans une de leurs bourgades. Votre chef choisit celle de Carhagouba parce que mon père, qui était son ami, l'habitait. C'était le plus grand village des Attignaouantans.

« C'est alors que je le vis, cet illustre capitaine qui savait toutes les choses que le Grand-Esprit peut donner aux hommes de connaître. Depuis longtemps le bruit de son nom et de sa puissance avait frappé l'oreille des femmes, des enfants et des vieux de notre nation, qui ne l'avaient pas encore vu. Toutes les familles de la bourgade allèrent au-devant de lui. Des coureurs nous avaient annoncé d'avance sa prochaine arrivée. Quand il parut nos yeux n'étaient pas assez grands pour le regarder et chacun admirait sa bonne mine, ses armes étranges et terribles et ses riches vêtements.

« Pendant l'hiver qu'il passa sous le ouigouam de mon père, il me prit en amitié, m'apprit à comprendre votre langue, et le soir, à la lueur du feu de la cabane, il commença à m'initier au secret de deviner dans vos livres les signes visibles de la pensée. En retour, je le suivais partout, je prenais soin de ses armes et l'accompagnais à la chasse où je lui étais utile en portant ses munitions et le gibier qu'il tuait.

« Je m'attachai tant à lui que je demandai à mon père d'accompagner le grand capitaine à Stadaconna quand le printemps fut revenu. Ce qui me fut permis lorsque le chef blanc eut dit à Darontal qu'il consentait à m'emmener et à me garder avec lui tout le temps que je voudrais.

« Quand la glace qui couvrait les grands lacs se fut en allée, je descendis la longue rivière avec l'escorte qui accompagnait les blancs.

« Durant bien des lunes je demeurai à Stadaconna auprès du savant capitaine. J'achevai d'apprendre à lire, et, instruit dans votre religion par les robes noires, j'eus la tête lavée par l'eau qui rend chrétien. J'assistai à l'agrandissement du village de Québec et pris part aux travaux que dirigeait le grand maître qui portait bien son nom puisque celui-ci veut dire *champ fertile*.

« J'avais vu l'été réchauffer vingt-quatre fois la terre, lorsque d'autres blancs, ennemis des vôtres, s'en vinrent déclarer la guerre à nos amis qui, en plus petit nombre et affaiblis par la faim, se rendirent prisonniers aux Yangees qui les emmenèrent tous sur leurs grands canots par-delà le vaste lac salé.

« Privé de mon second père, le grand capitaine blanc, et plein de haine contre les étrangers nouveaux venus dont je ne comprenais pas le langage, je m'échappai sur un canot et m'en retournai au pays des Ouendats.

« Ce fut alors que la belle Fleur-d'Étoile se trouva sur le sentier de ma jeunesse. Nous chassions près des bords du lac Ouentaron, lorsque la jeune fille m'apparut un soir sur le rivage. Elle venait de se baigner et l'eau ruisselait sur son beau corps, que rougissaient les rayons du soleil couchant. J'avais déjà remarqué Fleur-d'Étoile entre toutes les vierges du village de Teanaustayé, et chaque fois que je l'avais rencontrée mon cœur avait battu plus vite. Je m'approchai d'elle et lui dis : « Fleur-d'Étoile veut-elle être la femme du Renard-Noir ? » Elle sourit et me répondit : « Fleur-d'Étoile sera bien heureuse d'habiter le même ouigouam que le Renard-Noir, si le jeune guerrier peut se rendre à la nage jusqu'à l'autre côté du lac et revenir de même sans s'arrêter. Fleur-d'Étoile aime les hommes braves et forts. »

« Je regardai la distance à parcourir. Elle était longue ; mais Fleur-d'Étoile était si belle ! Je me jetai dans le lac en nageant vers la rive opposée de l'anse où nous étions. La jeune fille battit des mains. Mes forces s'en accrurent.

« Le soleil venait de tomber derrière les grands arbres, et la nuit s'élevait de la terre vers les cieux encore éclairés. Je nageai longtemps et quand j'atteignis l'autre rive, les ailes du soir planaient au-dessus du lac. Je n'entrevoyais plus Fleur-d'Étoile à l'endroit où je l'avais laissée, mais je me guidai sur sa voix pour revenir. Dès qu'elle avait cessé de me voir, elle avait commencé un chant vif et sonore dont les notes légères, traversant l'espace, venaient frapper joyeusement mon oreille et augmenter ma vigueur.

« Je nageais depuis longtemps. Mes forces commençaient à faiblir, et j'étais encore à quelque distance du rivage et de Fleur-d'Étoile que je commençais d'entrevoir, lorsque son chant cessa tout à coup ; et le bruit d'un corps tombant dans l'eau parvint jusqu'à moi. Inquiet, je me hâtais et fendais l'eau de toutes les forces qui me restaient, lorsque je sentis un corps souple et frais se glisser près du mien. Une main légère s'appuya sur mon épaule, et Fleur-d'Étoile me dit doucement : « Je serai ta femme. » Nous gagnâmes ainsi la rive.

« Un même ouigouam abritait le lendemain le Renard-Noir et Fleur-d'Étoile, et comme la mort de mon père, Darontal, ne me retenait plus au village de Carhagouba, je me fis adopter par mes frères de Teanaustayé, bourgade que ma femme, Fleur-d'Étoile, habitait.

« Quatre années plus tard, j'appris que le grand chef blanc, l'ami de notre nation était revenu avec les Français et que les Yangees avaient quitté le pays. Mon désir était de revoir le fameux capitaine : mais je ne pus descendre le fleuve cet été-là. On disait que les Iroquois nous guettaient au passage. Il fallut attendre la prochaine saison. Hélas ! quand je parvins à Québec le grand chef se mourait. Il apprit que son fils, le Renard-Noir demandait à le voir et me fit venir auprès de lui. Il me parla longtemps – « Écoute-moi bien, mon fils, me dit-il. Je t'ai instruit dans la religion chrétienne et t'ai appris bien des choses que tes frères ignorent. C'est à toi de continuer mon œuvre auprès d'eux. Pour tirer les tiens de l'ignorance où ils croupissent, des missionnaires iront s'établir dans vos bourgades et enseigneront aux Hurons la religion et les coutumes des blancs. Toi, tu en connais tous les avantages et tu devras aider les robes noires dans leurs efforts et faire accepter leur présence au milieu de vos guerriers. »

« Il me parla plusieurs fois ainsi et me fit jurer de lui obéir. Après quoi, le grand capitaine parut plus content et son âme partit paisible pour le pays des ombres.

« Je lui tins parole. Les robes noires vinrent demander l'hospitalité à mes frères auxquels je persuadai de laisser s'établir les missionnaires au milieu de nous. Ce ne fut pas sans peine. Les sorciers de la nation qui prévoyaient la perte de leur autorité, employèrent tous les moyens possibles pour chasser les robes noires. Mais les efforts de quelques chrétiens qu'il y avait déjà parmi nous et le courage des missionnaires finirent par faire dominer la religion chrétienne dans nos bourgades.

« Beaucoup de lunes et d'années s'écoulèrent et l'aîné de mes onze fils avait vu dix-huit printemps, lorsque mes guerriers me proposèrent de descendre aux Trois-Rivières pour y faire la traite des pelleteries. Il y avait longtemps que nous n'y étions descendus, car depuis la mort de mon second père Champlain, les Iroquois étaient devenus, par leurs fréquentes victoires, la terreur des nôtres.

« Nous partîmes deux cent cinquante guerriers dont j'étais le premier capitaine. Nous descendîmes la rivière sans rencontrer un seul ennemi. Comme nous approchions du fort des Trois-Rivières, nous poussâmes nos canots au milieu des joncs du rivage pour faire notre toilette de fête et rafraîchir nos tatouages avant de paraître devant les Français. Tandis que nous étions occupés ainsi, nos sentinelles jetèrent le cri de guerre. Un grand parti d'Iroquois venait nous attaquer. Nous saisîmes nos armes, et après un engagement rapide, les Iroquois prirent la fuite. Nous les poursuivîmes et en fîmes beaucoup prisonniers. Un grand nombre avait été tué.

« Nous échangeâmes nos pelleteries aux Trois-Rivières et repartîmes pour notre pays, triomphants et joyeux, et nos ceintures chargées des scalps de la victoire. Hélas ! nous devions bientôt apprendre que nous aurions mieux fait de rester dans notre bourgade pour défendre nos familles. »

Ici le Renard-Noir s'arrêta quelques instants. On eut dit qu'il voulait rassembler ses forces pour raconter les choses pénibles qu'il lui restait à dire.

Depuis quelques instants Mornac semblait distrait. Il se retournait fréquemment pour regarder par la fenêtre près de laquelle il était assis. Avant la pause que le Renard-Noir venait de faire, le chevalier s'était penché vers Jolliet et lui avait dit rapidement à l'oreille :

– Regardez donc du côté des palissades qui entourent la maison. Il me semble apercevoir quelque chose comme une tête d'homme qui s'agiterait au-dessus de la pointe des pieux.

– Chut ! fit Jolliet. Prenons garde d'effrayer les dames. Examinons en silence et à la dérobée.

En ce moment deux gros chiens de garde qui dormaient dans la cour se mirent à aboyer.

Les femmes se regardèrent en frissonnant.

– Sentiraient-ils quelque ennemi ? demanda Mme Guillot qui ne put s'empêcher de pâlir.

– Bah ! repartit Joncas, tout est tranquille aux environs. Les chiens jappent à la lune qui se lève.

Le croissant de la lune argentait en effet le champ azuré de la nuit, au-dessus des grands arbres muets.

– Je ne vois plus rien, reprit Mornac à voix basse. La tête a disparu.

– Vous vous trompiez, fit Jolliet sur le même ton.

Les chiens n'aboyaient plus, mais grondaient sourdement.

– Veuillez continuer, chef, dit Jolliet à voix haute pour chasser la crainte qui commençait à saisir les femmes. En supposant qu'il y aurait des Iroquois aux environs, la grande peur qu'ils ont des chiens les forcerait de se tenir à quelque distance de la maison.

Pendant que Mornac à demi tourné vers la fenêtre continuait à regarder négligemment au dehors, le Renard-Noir reprit son récit.

– Nous étions encore à une journée de marche de Teanaustayé ou Saint-Joseph qui était la principale bourgade de la nation et celle que j'habitais avec Fleur-d'Étoile et mes fils, lorsque, en mettant pied sur le rivage pour y passer la nuit, nous trouvâmes un pauvre vieux guerrier de notre village. Il était blessé gravement et se traînait à peine. À notre vue il se mit à pousser des gémissements lamentables. « Mes fils, s'écria-t-il, semblent être dans la joie quand ils devraient pleurer ! » Nous crûmes que ses esprits s'étaient égarés par suite de l'affaiblissement où il se trouvait. Il s'en aperçut et nous dit : « Pleurez, ô mes fils ! pleurez vos femmes et vos enfants massacrés ; pleurez les vieillards de la nation disparus ! Teanaustayé n'est plus ! Les Iroquois ont brûlé nos cabanes après en avoir surpris et tué tous les habitants ! Blessé moi-même j'ai pu m'échapper et m'enfuir jusqu'ici, où depuis plusieurs jours je me traîne en mourant à chaque pas ! »

« Un long hurlement de douleur, suivi d'un morne silence, accueillit ces nouvelles horribles.

« Voici ce que le blessé nous apprit quand nos oreilles purent l'écouter.

« Quelques jours auparavant, tandis que le soleil du matin dorait les champs de maïs qui entouraient le village paisible, et que des groupes de jeunes filles babillaient à l'ombre des ouigouams, que les vieilles femmes pilaient le grain dans des mortiers de bois et que les enfants nus se roulaient dans la poussière, pêle-mêle avec les chiens couchés au soleil, un cri de terreur éclata dans le silence où reposait la bourgade.

– « Les Iroquois ! les Iroquois ! »

« La bourgade venait d'être envahie par un grand parti de guerriers ennemis. Les quelques hommes valides laissés pour la garde du village voulurent courir à leurs armes et se défendre. Ils furent les premiers tués. La robe noire qui demeurait à Teanaustayé, et que les blancs appelaient père Daniel, et que nous nommions *Achiendase,* s'efforça de rallier les défenseurs en promettant le ciel à ceux qui mourraient pour leur famille et leur religion. Quelques vieillards l'entourèrent, ainsi que toutes les femmes et les enfants. Et ce fut tandis qu'il baptisait ceux qui ne l'étaient pas encore qu'il fut tué d'un coup d'arquebuse.

« Le petit nombre de défenseurs qui se trouvaient dans le village une fois tués, les Iroquois tournèrent leur furie contre les femmes, les enfants et les vieillards, et mirent le feu à tous les ouigouams.

« Quand la bourgade ne fut plus qu'un tas de cendres fumantes, les ennemis se retirèrent avec près de sept cents prisonniers dont ils tuèrent un grand nombre en retournant chez eux. Beaucoup plus avaient été égorgés dans l'enceinte du village.

« Ce récit lamentable nous plongea dans l'abattement le plus profond.

« Le lendemain soir, nous arrivâmes à l'endroit où Teanaustayé s'élevait naguère. Au lieu des cris de triomphe, des fêtes, des femmes joyeuses que nous avions d'abord prévu devoir nous accueillir à notre glorieux retour, nous ne trouvâmes que ruine, mort et désolation.

« C'était là que j'avais laissé ma pauvre Fleur-d'Étoile et ses sept plus jeunes enfants. Mes quatre fils aînés m'avaient accompagné jusqu'aux Trois-Rivières. Silencieux, nous nous assîmes au milieu des restes méconnaissables de nos familles massacrées. Immobiles, la tête penchée, les yeux fixés sur les cendres encore fumantes de notre village, nous passâmes ainsi la nuit. Les larmes et les gémissements ne conviennent qu'aux femmes ; le deuil des guerriers doit être fier et calme.

« Le lendemain, nous allâmes nous réfugier dans le village de Tohotaenrat (Saint-Michel) qui était le plus rapproché de notre bourgade anéantie.

« Là, j'appris le sort de l'infortunée Fleur-d'Étoile. Elle avait réussi à se sauver dans les bois avec ses enfants, et s'était cachée dans un épais buisson où elle se croyait en sûreté. Les Iroquois chassaient les fugitifs comme des bêtes sauvages. Ils passèrent près de l'endroit où la mère tremblante était blottie. Ces chiens ne la voyaient pas et l'auraient dépassée quand son dernier enfant qu'elle portait à la mamelle se mit à crier. Elle voulut étouffer les vagissements du malheureux petit être qui la perdait. Les Iroquois avaient entendu et bondirent sur leur proie comme des loups enragés. Ils assommèrent ma pauvre Fleur-d'Étoile à coups de tomahawk, après avoir massacré sous ses yeux nos enfants dont ils fracassèrent la tête sur un tronc d'arbre. Un seul d'entre eux, qu'ils avaient laissé pour mort, revint ensuite à lui et me dit ces épouvantables malheurs. »

Le Renard-Noir, ému par ces terribles souvenirs, s'arrêta un instant encore. Son accent étrange, sa voix profonde et vibrant sous le coup de l'émotion, avait quelque chose de sombre qui étreignait péniblement l'âme de ses auditeurs. Tous étaient comme suspendus à ses lèvres et l'écoutaient silencieusement. La femme de Joncas oubliait de faire tourner son rouet, Joncas lui-même fumait avec une pipe éteinte. Mme Guillot avait laissé tomber son tricot sur ses genoux. Jeanne de Richecourt ne détachait ses grands yeux humides de la figure bizarrement tatouée du Renard-Noir, que pour les arrêter sur l'ombre du sauvage qui se dessinait sur le mur et montait jusqu'au plafond où la touffe de cheveux, droite sur le crâne du Huron, s'agitait sinistre sur le fond rouge de la lumière blafarde que projetait la mèche négligée d'une chandelle fumeuse.

Durant cette seconde interruption, les chiens, qui s'étaient tus auparavant, poussèrent tout à coup un de ces hurlements déchirants qui portent au loin dans la nuit une indéfinissable horreur. On aurait dit un immense sanglot humain arraché par des tortures infernales.

Le silence qui régnait déjà dans la vaste salle prenait un caractère inquiétant. Chacun examinait son voisin à la dérobée en s'efforçant de cacher le malaise qu'il éprouvait.

Mornac, la main négligemment appuyée sur la crosse de l'un des pistolets passés à sa ceinture, et Jolliet, regardaient au dehors. Ils ne voyaient rien d'insolite et n'apercevaient au-dessus de la palissade que les larges eaux du fleuve qui se berçaient mollement au loin sous la lumière bleuâtre de la lune.

Après un hurlement prolongé, la voix des chiens s'éteignit encore en un grognement menaçant, et le Renard-Noir poursuivit d'un ton morne et sourd :

« Pendant la saison des neiges qui suivit, je tâchai de persuader à nos guerriers d'être plus défiants que par le passé et de garder les environs de nos bourgades pour ne pas être surpris. Ils m'écoutèrent d'abord ; mais l'insouciance funeste qui a perdu notre malheureuse nation reprit bientôt le dessus, et ils finirent par mépriser la voix d'un chef plus expérimenté qu'eux tous. Mes fils m'avertirent que l'on murmurait même contre moi. On m'accusait d'être la cause de tous les maux qui avaient fondu sur nous. Depuis, disait-on, que le Renard-Noir avait amené les missionnaires avec lui, la nation semblait avoir été abandonnée du Grand-Esprit. C'étaient les sorciers et les païens qui répandaient ces bruits.

« L'hiver était fini et le soleil du printemps achevait de fondre la neige autour de nos cabanes, lorsque mes quatre fils aînés partirent pour aller voir les robes noires, Brébeuf et Lalemant, que nous appelions *Echon* et *Achiendase,* qui demeuraient à Ataronchronons (Saint-Louis). Le plus jeune de mes enfants, blessé à Teanaustayé, restait seul avec moi.

« Il y avait trois jours que mes fils m'avaient quitté, lorsque un matin, nous aperçûmes un nuage épais de fumée qui s'élevait, dans l'éloignement, par-dessus les arbres dépouillés de leurs feuilles.

« Un long cri de détresse s'échappa de nos poitrines : « Les Iroquois ! Ils brûlent Saint-Louis. »

« Nous regardions en silence cet amas de fumée mêlée de flammes, qui montait vers le ciel, quand nous vîmes accourir deux de nos frères d'Ataronchronons. Ils étaient hors d'haleine et paraissaient frappés de terreur. Nos craintes n'étaient que trop vraies. Les Iroquois venaient d'incendier Saint-Louis après avoir détruit Saint-Ignace et massacré les habitants des deux bourgades.

« Je pensai à mes quatre fils qui devaient avoir été surpris et tués à Ataronchronons et mon cœur souffrit horriblement. Dans l'espérance de les sauver s'il était encore temps ou de les venger du moins, je suppliai les guerriers de Tohotaenrat de me suivre pour aller combattre nos ennemis. Ils ne voulurent pas m'entendre et m'accablèrent de malédiction, disant que je leur avais attiré tous ces désastres.

« Je baissai la tête et sortis seul de leur village après avoir demandé à une vieille femme de prendre soin de mon plus jeune fils.

« Saint-Louis était à deux heures de marche au nord de Tohotaenrat. J'avais fait plus de la moitié du chemin, bien décidé à me faire tuer par les Iroquois, lorsque je rencontrai un parti de trois cents guerriers hurons. Ils étaient chrétiens et venaient de la Conception et de Sainte-Madeleine, bourgs situés à l'ouest de Saint-Ignace et d'Ataronchronons. Ils étaient armés pour le combat et se dirigeaient vers Sainte-Marie qui courait de grands périls ; ce village n'était qu'à une heure de Saint-Louis.

« À Ataronchronons, nos frères nous apprirent que de Saint-Ignace et de Saint-Louis il ne restait plus que des cendres et des cadavres. Les deux robes noires, *Echon* et *Achiendase*, y avaient péri en bénissant l'agonie des nôtres.

« Un des fugitifs me dit qu'il avait vu mes quatre fils tomber morts en protégeant les robes noires.

« De mes onze enfants il ne me restait plus qu'un !

« Je n'eus pas le temps de les pleurer. Une avant-garde de deux cents Iroquois s'avançait pour commencer l'attaque de Sainte-Marie. Nous nous séparâmes en plusieurs partis pour les arrêter. La première bande de nos guerriers fut repoussée. Comme les Iroquois les poursuivaient en les chassant vers Ataronchronons, je tombai sur les ennemis avec deux cents Hurons chrétiens qui m'avaient choisi pour chef.

« Surpris, les Iroquois lâchent pied à leur tour et courent se réfugier dans l'enceinte de Saint-Louis. Les palissades seules restaient debout. Les ennemis y cherchent un abri. Nous les y suivons. Le grand nombre est tué, le reste se sauve. Nous étions maîtres de la place. Ce ne fut pas pour longtemps. Au bout d'une heure le principal corps des Iroquois s'abattait sur les palissades en hurlant leur cri de guerre.

« Ce fut alors un des plus furieux combats dont les anciens se souviennent. Nous n'étions plus que cent cinquante capables de combattre les sept cents Iroquois qui nous attaquaient. Mais nous voulions mourir après en avoir tué le plus grand nombre possible. La bataille dura tout l'après-midi. La nuit était descendue sur la terre que nos cris de guerre et le bruit de nos coups retentissaient encore au loin dans la forêt. Enfin le nombre l'emporta et il n'y avait plus autour de moi que vingt Hurons épuisés de blessures et de fatigue, quand nous fûmes terrassés et faits prisonniers.

« Les Iroquois avaient perdu plus de cent de leurs meilleurs guerriers dont plusieurs capitaines. La victoire leur coûtait cher.

« Au milieu de la nuit, tandis que les vainqueurs s'amusaient à torturer quelques-uns des nôtres, je brisai mes liens et me sauvai vers Sainte-Marie. J'avais encore soif de sang.

« Sept cents guerriers hurons sortaient d'Ataronchronons afin de poursuivre les Iroquois. Tout couvert de blessures et mourant de faim je partis avec eux. Je me sentais assez de force pour en tuer encore. Nous ne pûmes jamais rejoindre nos ennemis qui s'enfuyaient après avoir massacré beaucoup de leurs prisonniers. Nous trouvâmes les cadavres de plusieurs des nôtres qu'ils avaient assommés pendant la marche et d'autres attachés à des troncs d'arbres et à moitié brûlés par des branches entassées à la hâte.

« Nous ne revînmes que pour assister à la débâcle d'une nation épouvantée. Quinze bourgades étaient déjà abandonnées et brûlées, et les familles et les tribus se dispersaient de tous côtés. Les uns s'enfoncèrent dans les solitudes du nord ou de l'est ; un bon nombre alla demander asile à la nation des Tionnontates, dans la vallée des Montagnes-Bleues ; quelques autres joignirent la peuplade des Neutres, au nord du lac Érié.

« Le parti le plus nombreux, j'en étais avec mon seul et dernier fils que j'avais retrouvé à Tohotaenrat, fut se retirer dans l'île que nous appelions Ahœndoé et que les robes noires nommèrent Saint-Joseph. Elle repose dans le grand lac Huron à l'entrée de la baie de Matchedash.

« Dans l'automne nous étions là six ou huit mille misérables manquant de tout. Nos maux augmentèrent encore quand vint l'hiver. On vit des hommes, des femmes et des enfants décharnés se traîner de cabane en cabane comme des squelettes vivants pour y demander quelque chose à manger.

« Il en mourut bientôt par douzaine tous les jours. Les survivants manquant de plus en plus de vivres, se mirent à déterrer les morts pour s'en nourrir. Une maladie aida l'œuvre de la famine. Avant le printemps la moitié des exilés de l'île Ahoendoé étaient morts. Mon dernier fils atteint de la maladie horrible mourut entre mes bras, comme le printemps s'annonçait par la fonte des neiges. Je n'avais plus de famille et j'allais rester seul sur la terre !

« Quand les glaces furent fondues sur le lac, beaucoup de survivants affamés traversèrent vers la terre ferme pour y chercher leur subsistance. Mais les Iroquois les y guettaient encore et les massacrèrent tous.

« On apprit dans le même temps que la nation des Tionnantates, chez laquelle plusieurs de nos familles s'étaient réfugiées l'automne précédent, avait été attaquée durant l'hiver par nos ennemis communs qui avaient détruit la bourgade Etarita (Saint-Jean) après en avoir massacré les femmes, les vieillards et les enfants un jour que tous les guerriers étaient absents à la recherche des Iroquois.

« La terreur fut alors à son comble, et les robes noires qui avaient courageusement partagé tous nos malheurs, nous offrirent de nous emmener avec eux pour nous conduire près du fort de Québec, où nous serions assurément en sûreté.

« Nous n'étions plus que trois cents, et nous les suivîmes jusqu'à Stadaconna, quittant pour toujours la terre où les os de nos aïeux et de nos proches allaient dormir abandonnés dans l'oubli.

« La grande nation des Ouendats avait disparu et la plus petite peuplade des Iroquois dominait et se faisait craindre au loin sur le territoire du Canada.

« Mes frères s'établirent dans une longue île qui regarde Québec. Quelque temps je demeurai avec eux. Mais poursuivi par leurs sourds et injustes reproches d'avoir attiré sur leurs têtes des malheurs, qu'ils auraient pu éviter en suivant mes conseils, je les quittai tout à fait pour venir ici habiter et travailler avec mon frère le visage pâle (Joncas) que j'avais autrefois rencontré en ami dans nos regrettés pays de chasse.

« Maintenant le Renard-Noir est le seul de sa famille sur la terre, et quand vient le soir il va souvent s'asseoir sur le bord du grand fleuve en songeant à ceux qui ne sont plus et qu'il aima tant. Quelquefois le chef disparaît durant de longs mois et mon ami, le visage pâle, ne sait plus ce que je suis devenu. Un bon jour, pourtant, le Renard-Noir reparaît sous ce toit. Le front du chef est alors plus serein ; son cœur bat plus vite à la vue de quelque scalp sanglant qu'il rapporte et qu'il s'en va cacher en un endroit connu de lui seul. Il y en a onze qui sèchent en ce lieu secret. Depuis que j'ai quitté pour toujours le pays de mes pères, onze guerriers Iroquois ont été trouvés morts aux environs de leurs bourgades. Moi seul connais comment ils ont été tués pour venger mes onze fils, et moi seul sais quelles ont été leurs souffrances dernières.

« Il me manque encore une chevelure ; celle-là doit être consacrée à la mémoire de Fleur-d'Étoile. Je l'ai réservée pour la dernière. C'est le scalp d'un grand chef qu'il me faut. Quand ce trophée sera suspendu à côté des autres, le Renard-Noir pourra mourir en paix. »

Le langage figuré du Huron, dont je n'ai pu imiter partout l'originalité de crainte de n'être pas assez clair dans la narration de faits strictement historiques, tenait encore les auditeurs sous le coup de l'émotion pénible produite par un aussi triste récit, quand Mornac, l'œil en feu, la moustache hérissée, se leva soudain.

Rapide comme l'éclair, il ouvrit la fenêtre de sa main gauche et saisit de sa droite l'un de ses pistolets dont il fit feu en visant vers la palissade.

Cela fut si prompt que les hommes se trouvèrent debout et que les femmes jetèrent leur cri, comme l'air frais du dehors chassait à l'intérieur de la maison la fumée de la poudre, et que le bruit de la détonation roulait sous les sonores arceaux de la forêt voisine.

Pendant le moment de silence qui suivit ce brouhaha, on crut entendre, venant du dehors, un léger cri de douleur qui répondit au coup de feu, puis la chute d'un corps pesant sur le sol.

– Sandious ! dit froidement Mornac, je savais bien, moi, qu'il y avait un individu sur cette palissade. Aussi ne l'ai-je pas manqué !

– Mille démons ! Monsieur, fit Joncas en accourant à la fenêtre, après qui diable en avez-vous ?

– M. le chevalier a cru voir quelqu'un qui tentait d'escalader la palissade ou de regarder par dessus, repartit Jolliet en secouant la tête pour chasser le bourdonnement que le coup de pistolet, tiré à quelques pouces de sa figure, lui causait dans les oreilles.

– Sandis ! reprit Mornac, j'ai entendu tellement parler, depuis mon arrivée, de sauvages, de ruses et d'embûches iroquoises que je n'ai pu m'empêcher de montrer à cet indiscret qui se promenait sur la cime des palissades, que nous sommes ici sur nos gardes !

– Mon fils a le sang bouillant, dit le Renard-Noir, et ses nerfs sont prompts à se tendre. Je vais aller voir au dehors si j'apercevrai quelque chose. Éteignez cette lumière.

Le chef saisit son tomahawk qu'il avait déposé dans un coin de la chambre, s'assura que son couteau était à sa ceinture, tandis que Joncas décrochait son fusil tout chargé et suspendu à l'une des poutres du plafond.

– Je vas aller avec vous, dit Joncas au Renard-Noir.

– Non ! que mon frère reste ici avec les autres pour défendre les femmes. J'irai seul.

Le Sauvage souffla la chandelle, enjamba le rebord de la fenêtre, se laissa glisser jusqu'à terre et disparut en rampant sur le sol dans la direction où Mornac avait tiré.

En ce moment, celui qui eût été en dehors de l'enceinte de pieux, aurait pu voir comme des ombres qui, après avoir longé la palissade, s'enfonçaient, à deux arpents de l'habitation, sous le dôme sombre et silencieux du bois.

Mais ni le Renard-Noir ni les autres, dans la maison, ne pouvaient apercevoir ces fantômes qui fuyaient sans aucun bruit.

Dans la maison régnait le plus grand silence. L'obscurité y aurait été aussi profonde, si le feu du foyer n'eût jeté, de temps à autre, quelques éclairs blafards sur les murs blanchis à la chaux. À ces lueurs intermittentes apparaissaient dans la pénombre deux groupes distincts : près de la fenêtre, Mornac, Jolliet, Joncas, Vilarme et le garçon de ferme, tous armés et prêts à la défense ; au fond, près du feu de l'âtre qui les éclairait à demi, la femme de Joncas et Mme Guillot, à genoux et les mains jointes, et devant elles, Jeanne de Richecourt debout, calme et digne comme Diane, la fière déesse.

Au dehors, les chiens hurlaient comme des enragés. On vit, après quelques minutes d'attente, un corps noir qui se glissait du côté de la maison et faisait entendre un sifflement sourd et doux.

– Arrêtez ! fit Joncas en retenant le bras de Mornac déjà disposé à tirer son second coup de feu. C'est le Renard-Noir !

Celui-ci apparut l'instant d'après aux abords de la fenêtre et se hissa dans la maison.

– Rien, dit-il.

– Rien ! s'écria Mornac d'un air incrédule.

– Que mon frère aille voir, s'il en doute.

– Vous vous serez trompé, chevalier, dit Jolliet pour rassurer les femmes.

Et il donna un coup de coude à Mornac. Celui-ci comprit et répondit :

– Probablement.

Après avoir parlé quelque temps de l'alerte causée par Mornac, il fut décidé que Mme Guillot et Jeanne gagneraient leur chambre et que la femme de Joncas se coucherait aussi, mais que les hommes passeraient la nuit à veiller. Mme Guillot vint embrasser son fils et souhaiter le bonsoir à ses hôtes, tandis que Jeanne donnait sa main à baiser à son cousin et à Jolliet, et faisait une froide révérence à Vilarme.

Quand les hommes furent restés seuls, ils se rapprochèrent du foyer dont ils ravivèrent le feu près duquel ils s'assirent en silence.

Seul, près de la fenêtre refermée, le Huron faisait le guet.

On n'avait pas rallumé la chandelle, pour être moins en vue. Tout bruit s'éteignit peu à peu dans la maison. Au dehors, rien ne troublait le silence nocturne, à part quelques grondements furtifs des chiens, et les miaulements sauvages d'un hibou qui se plaignait au loin dans la nuit.

VII

Surprise

La nuit et la matinée qui suivirent s'écoulèrent sans autre incident digne de remarque. Aussi, rejoignons-nous nos personnages au commencement de l'après-midi du lendemain de leur arrivée à la Pointe-à-Lacaille.

Ils venaient de dîner et se dirigeaient tous, en sortant de l'enceinte de palissades qui entourait la maison, vers un champ de blé dont on avait commencé la moisson le matin même.

Joncas, le fusil en bandoulière et une faucille à la main, battait la marche avec sa femme. Après eux venaient le Renard-Noir et Jean Couture, le garçon de ferme, également armés et pourvus de fourches, de faucilles et de râteaux. Mme Guillot appuyée sur le bras de son fils, Jeanne avec Mornac et enfin Vilarme les suivaient à la file.

Malgré ce qu'on avait pu lui dire, Mornac n'avait pas voulu se charger d'un mousquet ; et il disait à Jolliet qui le précédait :

– Vous voyez bien, mon jeune ami, qu'il est inutile de s'embarrasser d'armes pesantes. N'avons-nous point passé toute la matinée au dehors sans être inquiétés ?

– C'est vrai, répondit Jolliet. Mais nous étions tous sur nos gardes, et si quelque ennemi rôdait aux environs, il a dû remarquer que nous étions prêts à le recevoir. Dans ce pays, monsieur le chevalier, c'est à l'heure où l'on s'y attend le moins que l'on est attaqué.

– Bah ! la forêt d'à côté est trop paisible pour receler des maraudeurs, et je suis maintenant convaincu que j'ai été victime, hier soir, de mon imagination échauffée par vos récits de surprises et de combats et que je vous ai causé de vaines alarmes. D'ailleurs, mordious ! avec ma bonne lame et cette paire de pistolets, je ne craindrais pas à moi seul, dix de vos canailles d'Iroquois.

Mornac accompagna ses paroles d'un de ces gestes superbes que je ne connais qu'à mon ami Faucher de Saint-Maurice. Jolliet était trop poli pour relever la gasconnade de son hôte.

Le champ où nos connaissances se dispersèrent, selon leurs occupations ou leur agrément, s'étendait, sur une largeur de trois arpents jusqu'à l'accore qui le séparait du fleuve. À partir de la rivière à Lacaille en remontant le bord du Saint-Laurent, le terrain cultivé pouvait avoir cinq arpents de longueur, et se composait : d'abord, d'une partie ensemencée de fèves, de pois et de légumes, ensuite d'une lisière nue où l'on avait fait les foins quelques semaines auparavant, et enfin, toujours en amont, d'un champ de blé qui longeait le bois terminant le domaine.

Les travailleurs se mirent à l'ouvrage. Joncas et sa femme, agenouillés sur le sol, coupaient hardiment, tandis que Jean Couture retournait et entassait le grain abattu dans la matinée. Le Renard-Noir appuyé la plus grande partie du temps sur une longue fourche, donnait quelquefois un coup de main au garçon de ferme : mais on voyait à l'air dédaigneux du Huron que ce genre de travail lui déplaisait. On sait que chez les Sauvages c'étaient les femmes qui cultivaient les champs de maïs et faisaient la moisson ; les hommes ne s'occupaient que de chasse et de guerre.

Jolliet et sa mère tâchaient de se rendre utiles. Mme Guillot coupait de son mieux des poignées de longs fétus de paille qui s'affaissaient sur le sol chargés de leurs lourds épis jaunes, et son fils liait en gerbes le grain suffisamment sec.

Jeanne de Richecourt, sa jolie main passée sous le bras de son cousin Mornac, se promenait avec lui dans l'espace libre le plus rapproché du bois, celui où la moisson était déjà faite. Vilarme, tout en feignant de s'occuper, les quittait à peine du regard ou de l'ouïe ; ce qui paraissait agacer horriblement Mornac.

– Je vous en prie, lui disait Jeanne à voix basse, avec une légère pression de la main sur l'avant-bras du chevalier, je vous en prie, contenez-vous ! Souvenez-vous que je n'ai plus que vous au monde pour me protéger !... Je sais bien que c'est enrageant d'avoir toujours sur nos talons cet homme au regard sinistre... Mais bien qu'il nous épie de la sorte depuis notre départ de Québec, soyez certain que nous trouverons l'occasion de nous parler librement... Mon Dieu que j'ai hâte d'ouïr les confidences que vous m'avez promises à son sujet !

– Ma chère cousine, répondit à demi-voix Mornac, c'est un récit bien triste et qui vous fera frémir d'horreur et pleurer beaucoup, hélas !... Mais le voici qui se rapproche encore ! Ah ! sang de dious (pardon mademoiselle) quelle envie j'ai de lui donner de mon épée au travers du corps !...

– Allons nous asseoir sur ce tronc d'arbre renversé, dit Jeanne à voix haute, nous verrons mieux le paysage.

– En effet, c'est un fort bel endroit, interrompit M. de Vilarme ; et si vous me le permettez, je vais aller me reposer un instant avec vous. Je suis peu habitué aux travaux des champs et me sens fatigué par la chaleur.

Mlle de Richecourt sentit le bras du chevalier trembler de colère. Elle jeta un regard suppliant à son cousin.

– C'est par trop fort, Vilarme maudit ! pensa Mornac. Et, mordious ! si tu n'es pas aussi lâche que scélérat tu te battras avec moi ce soir ou cette nuit !

Le tronc d'arbre sur lequel ils s'assirent avait été abattu sur la lisière du bois et tout près de l'accore, de sorte qu'ils se trouvaient tous les trois très rapprochés du fleuve et de la forêt, mais éloignés de plus d'un arpent des moissonneurs.

Entre les nuages grisâtres qui couvraient le ciel, perçait, de temps à autre, un pâle rayon de soleil. Bien que la température ne fût pas encore froide, un léger vent de nord qui faisait frissonner quelquefois la surface de l'eau, annonçait la prochaine venue de la saison des pluies.

Le fleuve étendait au loin ses ondes légèrement agitées par la brise du large, et se confondait, en bas, à l'horizon, avec les nues grises qui descendaient jusqu'à l'eau en roulant sur la cime et le flanc des montagnes bleues que l'on voit descendre et disparaître dans l'enfoncement de la baie Saint-Paul.

Sur la rive, la sombre dentelure des arbres se détachait du ciel blanchâtre et s'élevait avec progression en remontant jusqu'à la rivière à Lacaille, de l'autre côté de laquelle on apercevait, à une dizaine d'arpents de distance, les habitants des deux autres fermes de l'endroit, aussi occupés aux travaux de la moisson.

Au proche, le champ de blé ondoyait sous le vent et les épis froissés rendaient un bruissement doux et triste.

Vers la gauche de grands oiseaux de mer se poursuivaient avec des cris rauques en effleurant la crête de longues lames que la marée montante poussait sur la grève, où elles se brisaient avec un clapotis monotone.

Jeanne, silencieuse, laissait ses yeux errer sur cette scène qui, bien qu'elle ne manquât pas de grandeur, était empreinte d'une vague tristesse.

Mornac et Vilarme ne disaient rien non plus ; mais peu sensibles, en ce moment du moins, aux beautés de la nature, ils n'écoutaient que le bruit de leur cœur agité par la colère et la haine.

Ils étaient donc tous les trois absorbés dans leurs réflexions, lorsque Jean Couture vint à eux pour demander à M. de Vilarme un râteau que celui-ci tenait à la main.

Jean n'était plus qu'à trois pas du tronc d'arbre et regardait en face le bois auquel Mlle de Richecourt, Mornac et Vilarme tournaient le dos, lorsque l'épouvante contracta les traits du valet qui poussa un cri de terreur.

Des hurlements horribles firent alors trembler la forêt, et prompts comme la foudre, dix Sauvages nus bondirent hors du bois.

Un coup de pied dans le dos envoya rouler à cinq pas Vilarme qui fut désarmé, garrotté en moins de dix secondes. Jean n'avait pas eu le temps d'armer le mousquet qu'il portait, que déjà il était aussi terrassé et lié.

Seul Mornac eut le temps de se défendre.

Le premier Iroquois qui s'approcha de lui reçut une balle au cœur et tomba roide mort.

Un second pistolet déchargé à bout portant dans la tête d'un autre Sauvage lui fit jaillir hors du crâne la cervelle et la vie.

Puis Mornac fit trois pas en arrière, dégaina son épée et tomba en garde.

Les cheveux au vent, l'œil en feu, il était superbe.

D'abord surpris par la mort rapide de leurs deux compagnons, les Iroquois avaient entouré le chevalier.

Mornac s'escrimait bravement d'estoc et de taille, quand il reçut un coup de crosse entre les épaules.

Il tomba et se sentit solidement attaché aux quatre membres.

Sans s'occuper de l'autre groupe des moissonneurs, les Iroquois rentrèrent aussitôt dans le bois avec leurs prisonniers, Mornac, Vilarme et Jean, et entraînèrent aussi les corps des deux guerriers tués.

Leur chef, Griffe-d'Ours, ou la Main-Sanglante, s'enfuyait le premier. Il emportait dans ses bras Jeanne paralysée par l'épouvante.

L'attaque avait été si prompte que lorsque Joncas, Jolliet et le Renard-Noir avaient songé à se servir de leurs mousquets, il n'en était déjà plus temps, vu le danger qu'il y aurait eu à tirer sur le groupe confus de leurs amis et des Iroquois.

D'un coup d'œil, Joncas avait vu le nombre supérieur des assaillants et la prompte défaite de Vilarme, de Jean et du chevalier. Il songea aussitôt à sa femme et à Mme Guillot et voyant la lutte impossible en plein champ, il cria brusquement à Jolliet :

– Aux palissades et sauvez Madame !

Puis il avait entraîné sa femme vers la maison.

Durant deux secondes Jolliet hésita entre sa mère et Jeanne qui se débattait, quelques pas plus loin, entre les bras de son sauvage ravisseur.

Mais l'amour filial fut le plus fort, et le jeune homme battit en retraite avec Mme Guillot, vers l'enceinte palissadée.

Indécis un instant aussi, le Huron suivit Jolliet et Joncas.

Comme ils refermaient tous les trois la porte des palissades avec la promptitude et la force que leur donnait le danger pressant, les Iroquois venaient de disparaître avec leurs captifs dans les profondeurs du bois.

Quand la porte fut refermée, Jolliet s'écria en regardant Joncas :

– Nous sommes des lâches, pour ne les avoir point défendus !

– Et votre mère et ma femme, ne devions-nous pas les sauver avant tout ?

– Eh bien ! courons sus aux Iroquois, maintenant ! et à nous trois nous pouvons encore délivrer nos amis !

– Et Mme Guillot et ma femme resteront ici seules et sans défense ?

Jolliet baissa la tête et resta écrasé sous le poids d'un énorme découragement.

– Tu l'aimes donc bien, *elle,* lui dit doucement sa mère dont les yeux étaient pleins de larmes.

– Mon Dieu ! mon Dieu ! s'écria le jeune homme avec un sanglot déchirant qui s'en alla mourir dans la forêt voisine où résonnait encore le dernier cri des ravisseurs.

VIII

Une horrible nuit

Après une course furieuse à travers le bois, les Iroquois s'arrêtèrent sur la grève, vingt arpents à l'ouest de la rivière à Lacaille, avec leurs captifs et les deux cadavres de leurs compagnons. En un instant ils mirent leurs pirogues à l'eau, y couchèrent les deux morts ainsi que les prisonniers bien garrottés, et se mirent à remonter le fleuve à toute vitesse.

Ils ramèrent pendant près de deux heures à force de bras, jusqu'à ce qu'ils eussent un peu dépassé la Pointe de Saint-Valier.

La marée commençait alors à baisser, ce qui donnait aux rameurs beaucoup de peine à remonter le courant. Sur un ordre de Griffe-d'Ours, les canots obliquèrent à droite pour relâcher à la petite île Madame sise au milieu du fleuve, à une courte distance du pied de l'île d'Orléans.

Il pouvait être trois heures.

Les Iroquois se concertèrent entre eux après être débarqués. Puis ils prirent les deux cadavres, et poussant devant eux les captifs, s'enfoncèrent un peu dans l'intérieur de l'île.

À une couple d'arpents du rivage, ils s'arrêtèrent, et Griffe-d'Ours dit aux prisonniers après les avoir débarrassés de leurs liens :

– Si les faces pâles refusent d'obéir et font mine de se sauver, nous les tuerons tout de suite comme des chiens qu'ils sont. Les blancs vont creuser ici un trou pour y enterrer les deux guerriers qu'ils ont tués. Le corps des braves ne doit pas rester exposé à la voracité des bêtes et des oiseaux de proie.

Les Iroquois désignèrent le lieu précis et la grandeur de la fosse et firent signe à Jean de commencer à creuser.

Celui-ci se mit à l'œuvre.

Mlle de Richecourt, assise à quelques pas de distance, s'efforçait de paraître calme ; mais on voyait à l'agitation de son sein qu'elle était plus qu'émue.

Lorsque vint le tour de Mornac, les Sauvages lui firent signe de remplacer Jean.

Un éclair brilla dans l'œil du chevalier. Mais sa cousine lui fit signe de se résigner. D'ailleurs, à la vue de l'hésitation que Mornac venait de manifester, Griffe-d'Ours s'était rapproché de lui en brandissant son tomahawk. Cet argument produisit un effet immédiat, et, tout bon gentilhomme qu'il fût, Mornac dut se soumettre.

Peu habitués à ce dur travail et mal pourvus d'outils, les captifs mirent plus de deux heures à creuser la terre, et le soir était venu quand ils eurent fini.

Les Iroquois placèrent leurs deux camarades dans la fosse qu'ils eurent soin de recouvrir de grosses pierres pour empêcher les bêtes fauves de déterrer les cadavres.

Ensuite ils garrottèrent de nouveau les captifs qui voyant bien que toute résistance était inutile, se laissèrent attacher.

Les Sauvages redescendirent avec eux vers la grève, et là, hors des atteintes de la marée, ils allumèrent un grand feu près duquel ils prirent leur repas du soir.

Quand ils eurent fini, ils se parlèrent avec animation durant quelques minutes.

Les prisonniers qu'ils regardaient souvent virent bien qu'il s'agissait d'eux, quoiqu'ils ne comprissent pas un mot au langage des Iroquois.

Ceux-ci se levèrent et vinrent examiner les captifs l'un après l'autre.

Après avoir regardé Mornac et Vilarme avec attention, ils finirent par s'arrêter d'un commun accord en face de Jean Couture. Leur résolution fut bien vite prise et Griffe-d'Ours dit au pauvre valet :

– Le jeune visage pâle paraît le plus faible des trois, et le moins capable de supporter les fatigues du voyage. Il va mourir cette nuit.

Le malheureux garçon se jette aux genoux du chef qu'il embrasse en le suppliant de lui faire grâce. Ses gémissements lamentables n'émeuvent nullement l'Iroquois qui repousse l'infortuné d'un coup de pied et répond froidement :

– J'ai dit.

– Jean est encore à genoux quand l'un des Sauvages s'approche de lui par derrière, saisit le valet par les cheveux, appuie l'un de ses genoux sur le dos de la victime, tire de sa gaine un couteau à scalper dont il lui enfonce dans la tête la pointe tranchante qui décrit un cercle rapide autour du crâne. Puis le Sauvage retient entre ses lèvres le couteau d'où le sang dégoutte, saisit à pleines mains la chevelure du malheureux, que d'un seul effort il arrache violemment avec la peau.

L'infortuné pousse un hurlement de douleur et reste étendu sans remuer sur le sol.

Jeanne jette un cri d'horreur et perd connaissance.

Oubliant que ses pieds sont attachés, Mornac veut s'élancer sur les bourreaux. Mais il tombe tout de son long par terre ; ce qui fait rire les Sauvages aux larmes.

Après avoir relevé Mornac et l'avoir placé de manière à ce qu'il ne perdit rien de ce qu'il allait advenir, les Iroquois ramassèrent la victime évanouie qu'ils ranimèrent en lui jetant de l'eau froide à la figure. Puis il l'adossèrent contre un petit arbre auquel il fut solidement attaché.

Ces préparatifs terminés, l'un des Sauvages saisit des charbons ardents au milieu du brasier et les déposa avec beaucoup de soin sur le crâne sanglant et dénudé du jeune homme. Celui-ci, tout en recommandant son âme à Dieu, se mit à pousser des cris pitoyables qui ne devaient finir qu'avec sa vie.

Ce qui précède n'était qu'un prélude, et alors commença une de ces scènes épouvantables, dont l'atroce barbarie ne serait point croyable aujourd'hui, si nos annales n'en étaient pas remplies avec l'attestation des témoins les plus véridiques.

Tandis que deux Iroquois, accroupis sur le sol, coupaient avec leurs couteaux les orteils de la victime, d'autres lui arrachaient les ongles des doigts de la main, mais lentement, afin que le supplicié sentît bien chaque nouvelle souffrance.

Quand les pieds et les mains du jeune homme ne furent plus qu'une plaie vive, Griffe-d'Ours écarta ses compagnons. D'un tour rapide de son couteau, il cerna le pouce du misérable, vers la première jointure ; puis, le tordant, il l'arracha de force avec le muscle qui se rompit au coude, tant la violence du coup était grande.

Et tandis que le pauvre garçon jetait d'horribles clameurs, le chef, avec un sourire de satisfaction, suspendit à l'oreille du patient ce pouce ainsi tiré avec le nerf, en guise de pendant d'oreille.

Il continua de lui arracher ainsi tous les doigts l'un après l'autre, pendant que ses camarades enfonçaient à mesure, dans ces plaies, des esquilles de bois qui devaient lui faire éprouver des tortures de plus en plus atroces ; car ses cris redoublèrent encore.

Satisfait de la dextérité qu'il avait montrée Griffe-d'Ours céda sa place à un autre.

Celui-ci s'approcha doucement et coupa, tour à tour, le nez, les lèvres et les joues de sa victime. Puis avec un raffinement de démon, il lui arracha les deux yeux, les laissa pendre sur la figure ensanglantée et plaça dans chaque orbite vide un tison ardent. Animés par la vue du sang, tous ces barbares voulurent avoir leur part de jouissances, et chacun se mit à cribler le captif de coups de couteau.

Quand son corps ne fut plus qu'une masse de chairs saignantes, quand leur imagination diabolique fut à bout d'expédients de tortures, ils entassèrent des branches mortes aux pieds du supplicié, y mirent le feu et, se tenant tous par la main, se mirent à danser en rond avec des cris de joie. C'était une horrible scène.

Le vent s'était élevé et soufflait fortement du large avec la marée montante.

Ses sifflements se mêlaient au grand bruit des vagues qui se brisaient sur les rochers de l'île avec de rauques clameurs ; tandis que des cris sinistres de huards s'élevaient au loin dans la nuit orageuse, comme l'écho des affreuses lamentations de la victime.

Pleinement éclairés par la lueur du feu, huit démons nus dansaient une ronde effrénée autour de l'arbre qui retenait le pauvre Jean. Souvent renouvelés dans ses orbites, les tisons ardents jetaient une sanglante lueur sur la face mutilée du supplicié dont les yeux pendaient sinistrement à la place des joues, tandis que les dents, découvertes par suite de l'absence des lèvres, grimaçaient un rire effroyable.

En ce moment Jeanne de Richecourt reprit connaissance et ses yeux égarés s'arrêtèrent sur ce spectacle infernal. Ce qu'elle vit était tellement horrible qu'elle s'évanouit de nouveau ; et, si courte que fût cette vision, elle était tellement épouvantable qu'elle se grava pour toujours dans sa mémoire.

En lâche qu'il était, Vilarme, la figure d'un jaune livide, tremblait de tous ses membres.

Quant à Mornac, on voyait la violente crispation de ses mâchoires sous ses joues pâlies ; et les muscles de ses bras, fortement tendus sous les liens qui le retenaient attaché, témoignaient des vains efforts qu'il faisait pour s'élancer sur les bourreaux.

À mesure que le feu, après avoir consumé les jambes, montait en rongeant les parties plus vitales du corps, les cris du martyr diminuaient d'intensité. Il ne proféra plus bientôt que des gémissements douloureux qui semblaient être la lugubre symphonie à laquelle le grand bruit triste au vent et des vagues servaient d'accompagnement.

La vie du jeune homme dura pourtant longtemps encore ; et, pendant longtemps encore, la ronde satanique tournoya rapide et hurlante autour de la victime.

Mornac épuisé par les efforts considérables qu'il avait faits pour rompre ses liens, était tombé dans une espèce d'engourdissement qui ressemblait au sommeil. À travers les brumes de cette somnolence, il entrevoyait le cercle horrible qui tournait, tournait infatigable ; et au centre cette effrayante figure penchée sur un corps entrouvert, d'où pendaient les entrailles et fléchissant à moitié sur les longs os des jambes dépouillées de leurs chairs.

C'était un indicible cauchemar.

Enfin, la flamme ayant gagné le dessous des bras, les liens d'écorce, qui retenaient encore le supplicié debout, prirent feu, se rompirent, et le corps s'affaissa dans le brasier avec un dernier sanglot d'agonie...

Il était deux heures du matin, et les Iroquois rassasiés dans leur cruauté songèrent au départ. Le vent tombait et bien que la mer fut un peu grosse, ils voulaient profiter de la marée montante pour passer devant Québec à la faveur des ténèbres.

Jeanne, toujours évanouie, fut placée au fond d'un canot. Quant à Mornac et à Vilarme, on les coucha, tout garrottés en d'autres pirogues, après leur avoir bien recommandé de ne point bouger. Comme il leur était impossible de nager, ils seraient noyés du coup, leur dit Griffe-d'Ours, si les canots venaient à chavirer.

En quelques instants, tout fut prêt pour le départ, et la petite flottille quitta l'île Madame.

La tête relevée et appuyée sur la pince d'avant du canot de Griffe-d'Ours, Mornac entrevit pendant quelque temps le brasier qui projetait sur l'îlot ses lueurs mourantes. Au milieu des charbons ardents qui pétillaient sous la brise, on distinguait le corps noir et informe du pauvre Jean Couture.

Peu à peu, à mesure que les canots remontaient le fleuve, en route pour le pays des Iroquois, le feu s'éteignit ou disparut dans l'éloignement.

IX

Bourreaux et victimes

On peut se figurer le serrement de cœur qu'éprouvèrent les captifs, lorsqu'ils passèrent devant Québec. Bien que la nuit touchait à sa fin, le jour n'était pas encore assez avancé pour qu'on les pût remarquer de la ville où la plupart des habitants dormaient encore.

Griffe-d'Ours, afin de prévenir toute tentative de fuite, avait dit aux prisonniers qu'il casserait la tête au premier qui ouvrirait la bouche pour crier à l'aide. Aussi les malheureux ne purent-ils que jeter un regard d'angoisse sur cette ville qu'ils ne reverraient peut-être plus.

En longeant la rive opposée, les Iroquois passèrent inaperçus devant Sillery et le Cap-Rouge.

À part le poste des Trois-Rivières, trente lieues en amont de Québec, les deux rives du fleuve étant alors désertes et inhabitées jusqu'à l'embouchure du Richelieu, les captifs n'avaient presque plus, maintenant, aucune chance d'être délivrés.

Arrivés à l'endroit où se trouve aujourd'hui la Pointe-aux-Trembles, les Iroquois prirent terre pour se reposer, manger et tourmenter un peu leurs prisonniers.

Ils commencèrent d'abord par dépouiller Mornac et Vilarme de tous leurs habits. Mais comme il fallut délier ceux-ci pour les déshabiller, ce ne fut pas sans conteste que Mornac se laissa faire. D'un coup de poing vigoureusement asséné, le Gascon envoya rouler à cinq pas le premier Iroquois qui voulut porter la main sur lui. Celui-ci se releva furieux, au milieu des rires de ses compagnons et voulut s'élancer, le casse-tête au poing, sur le chevalier désarmé. Mornac allait être assommé lorsque les autres Sauvages s'interposèrent.

– Pour l'amour de Dieu ! mon cousin, cria Jeanne d'une voix suppliante, ne les irritez pas ! Souffrez tout par amitié pour moi. Que deviendrai-je donc, s'ils vous tuent !

Et la pauvre enfant se voila la figure de ses deux mains pour cacher son angoisse et sa honte.

Vilarme s'était déjà laissé dépouiller.

Mornac obéit à sa cousine et jeta lui-même tous ses habits aux Sauvages qui se les partagèrent ainsi que ceux de Vilarme et s'en revêtirent grotesquement. L'un avait un chapeau, l'autre un haut-de-chausse, celui-ci un pourpoint, celui-là un baudrier, le cinquième des manchettes de point. Les deux derniers auxquels les bottes à entonnoir étaient échues en partage ne purent pas les garder longtemps, car elles leur blessaient les pieds. Ils eurent soin, pourtant de ne pas les rendre aux prisonniers, d'abord pour les forcer de marcher pieds nus, et partant de les faire souffrir, et ensuite pour s'en parer eux-mêmes quand ils arriveraient triomphants à leur bourgade.

On jeta deux méchants lambeaux de peau d'orignal aux prisonniers qui s'en couvrirent le mieux qu'ils purent.

Seul Griffe-d'Ours n'avait pas pris sa part du butin et comme Mornac paraissait le remarquer, le chef iroquois s'approcha de lui et dit :

– Tu sembles t'apercevoir, chien de face pâle, que mes frères seuls se sont partagé vos vêtements. Outre que je dédaigne ces vils oripeaux des Français, la part qui me revient vaut bien mieux que vos habits et vous-mêmes. Ma prise à moi, face pâle que je hais, c'est la vierge blanche que tu aimes. Entends-tu ?

Au regard ardent que le Sauvage jeta à mademoiselle de Richecourt, Mornac pâlit et serra les poings. Ce qu'il entrevoyait était si terrible pour la pauvre enfant que le gentilhomme sentit les larmes lui monter aux yeux. Et lui, l'homme de cape et d'épée, le Gascon railleur, le bretteur, le coureur de ruelles, l'esprit fort, leva les yeux au ciel et pria Dieu de sauver la jeune fille et de prendre plutôt sa propre vie en échange.

Quand on est heureux et jeune, on peut oublier Dieu ; mais dans l'infortune, on finit toujours par recourir à celui-là qui seul peut faire avorter les desseins les plus pervers.

Tandis que l'on garrottait de nouveau Mornac et Vilarme, Griffe-d'Ours s'approcha de Mlle de Richecourt et lui dit :

– La vierge pâle a-t-elle entendu ? Elle m'appartient et sera la femme du chef.

Jeanne de Richecourt qu'on avait toujours laissée libre de ses mouvements se leva droite, fière et belle comme Jeanne-d'Arc devant ses juges, et d'un mouvement prompt comme la pensée, tirant de son corsage le poignard qui ne la quittait jamais, elle en dirigea la pointe vers son cœur et s'écria :

– Écoute-moi bien, monstre ! Au premier geste que tu fais pour me toucher, je me tue !

Griffe-d'Ours recula, étonné, stupéfait ! Les femmes qu'il avait vues jusqu'à ce jour ressemblaient si peu à cette noble et superbe créature, qu'il en fut tout ébloui. Et le farouche homme des bois subit aussitôt la domination que la femme du grand monde exerce sur tous ceux qui l'entourent.

Honteux du charme invincible et mystérieux qui étreignait et paralysait sa volonté, il baissa la tête et alla s'asseoir à quelque distance.

Jeanne s'affaissa de nouveau sur le sol en revoilant son visage de ses belles mains et resta plongée dans un silencieux abattement.

Les Sauvages prirent leur repas qui consistait en sagamité et en poisson fumé.

Tant que leur faim ne fut pas satisfaite, ils ne donnèrent rien à manger aux prisonniers, excepté à Jeanne. Griffe-d'Ours lui porta quelque nourriture qu'elle refusa malgré qu'elle n'eût rien pris depuis la veille.

Quand les Iroquois se furent rassasiés, ils s'approchèrent de Mornac et de Vilarme avec les restes du repas.

Les Sauvages se sentaient en belle humeur, et ce fut un prétexte pour tourmenter les captifs. Comme ceux-ci n'avaient pas l'usage de leurs mains, il fallait qu'on leur donnât leur nourriture. Au lieu de la leur mettre à la bouche, les Iroquois la laissaient tomber à terre et leur jetaient à la place des charbons enflammés qui brûlèrent affreusement les lèvres des deux malheureux.

Au premier contact du feu, Vilarme poussa un hurlement.

Mornac ne dit rien. La seule idée qu'il se trouvait en présence d'une femme lui aurait fait souffrir mille morts plutôt que de desserrer les dents.

On continua de les tourmenter pendant plus d'une heure. Ceux-ci leur tiraient les cheveux, ceux-là la barbe. Les uns les piquaient avec des bâtons pointus, d'autres les brûlaient avec des tisons ardents ou des pierres rougies au feu.

Ils arrachèrent deux ongles des doigts de la main gauche à Mornac avec leurs dents et lui brûlèrent dans le fourneau d'une pipe les extrémités des doigts ainsi affreusement endolories.

Bien que le chevalier souffrit d'une manière atroce, il ne poussa pas une plainte.

Les lamentations de Vilarme redoublaient au contraire à mesure que les tourments devenaient de plus en plus forts. Aussi les bourreaux s'acharnèrent-ils d'avantage contre lui. Ils lui mutilèrent toute la main gauche dont ils lui coupèrent la première phalange des cinq doigts.

Quand les Sauvages mirent fin à leur jeu barbare, afin de se rembarquer, Mornac, qui s'était contenu jusque là, lâcha la plus belle bordée de jurons qui soit jamais sortie de la bouche d'un enfant de la Gascogne.

– Sandious ! tonnerre de Dieu ! Mille millions de tonnerres ! s'écria-t-il. Puisse le diable éventrer ces maudits, et les étrangler, mordious ! avec leurs propres boyaux.

Puis s'arrêtant, il se tourna vers Mlle de Richecourt et lui dit :

– Pardonnez-moi, ma cousine, car cela me soulage vraiment. Voyez-vous, je me sens les nerfs agacés et j'éprouve un impérieux besoin d'exhaler ma mauvaise humeur d'une façon un peu plus virile que M. de Vilarme.

Celui-ci, malgré les souffrances qu'il endurait encore, ressentit cette injure et répondit :

– Ah ! chevalier de malheur ! nous aurons à causer un peu dès que nous serons libres !

– Sandis ! à vos ordres, mon brave, repartit Mornac et j'espère avoir avant longtemps la satisfaction de vous enfoncer six pouces de fer entre les côtes.

Les Iroquois mirent fin à cette altercation en transportant les prisonniers dans les canots qui recommencèrent à remonter le courant du fleuve.

La partie du Saint-Laurent sur laquelle les captifs voyageaient alors différait beaucoup de celle qu'ils avaient parcourue en descendant de Québec à la Pointe-à-Lacaille. Le grand fleuve qui, en bas de l'île d'Orléans, prend aussitôt des airs d'Océan, se rétrécit tout à coup vis-à-vis de Québec où il n'a guère qu'un tiers de lieue de large. Bien que sa largeur augmente ensuite au-dessus de la ville, elle ne dépasse plus une lieue et demie, en exceptant les lacs formés par son cours.

Au lieu des hautes Laurentides qui, en bas de la capitale dominent majestueusement les grandes eaux du fleuve, les captifs n'apercevaient plus que les bords peu escarpés et assez rapprochés, montant et s'abaissant à droite et à gauche.

Si la scène y perdait en grandeur, elle y gagnait certainement au point de vue pittoresque.

Tourmenté dans son cours, le fleuve allait se tordant en sinuosités capricieuses, en arrière et en avant des voyageurs. Là, ils croyaient le voir se terminer brusquement en cul-de-sac, coupé par une muraille de rochers grisâtres ; ici ses eaux calmes s'en allaient mourir, comme celle d'un lac, sur des grèves sablonneuses dans l'enfoncement desquelles on apercevait les hauts arbres de la forêt silencieuse. Ailleurs, les rives s'arrondissaient en coteaux pour s'aplanir plus loin en immenses prairies jaunissantes sous le soleil d'automne. Çà et là, des rivières et des ruisseaux entrecoupaient la ligne onduleuse des deux rives. Ils venaient verser dans le fleuve, sombre et profond, leurs eaux babillardes dont le joyeux murmure résonnait à l'ombre des noyers sur les troncs moussus desquels des vignes sauvages grimpaient en festons.

Partout sur ces paysages sévères ou riants régnait la grande solitude des forêts vierges dont les bruits sauvages ne parvenaient même pas à l'oreille des voyageurs qui tenaient le milieu du fleuve et ne pouvaient entendre ni les cris des bêtes fauves ni le chant des oiseaux.

Je ne saurais m'astreindre à décrire chacun des incidents qui marqua le voyage depuis la Pointe-aux-Trembles jusqu'aux Trois-Rivières devant lesquelles ils passèrent inaperçus, le quatrième soir, pour entrer bientôt dans les eaux calmes du lac Saint-Pierre.

Après avoir parcouru ce lac dans sa plus grande longueur qui est de sept à huit lieues, les Sauvages s'arrêtèrent dans l'une des premières îles du Richelieu et y passèrent la nuit dont une bonne partie fut employée à *caresser* les prisonniers Mornac et Vilarme. Un nouveau supplice auquel les Iroquois s'arrêtèrent cette nuit-là fut de faire marcher les deux captifs pieds nus sur des cendres chaudes sous lesquelles des bâtons pointus avaient été plantés en terre.

Mornac, toujours fier et railleur, supporta ce genre de tourment avec un calme stoïque et à Vilarme qui ne cessait de geindre il recommanda la patience, lui disant que c'était un excellent remède contre les cors aux pieds.

On s'engagea le lendemain dans l'archipel du Richelieu. Malgré leurs inquiétudes et leurs souffrances, les captifs ne purent s'empêcher d'admirer les ravissants paysages qui se déroulaient sous leurs yeux et changeaient d'aspect à chaque instant.

Séparées par une infinie variété de canaux, ces îles de différente grandeur s'étendaient aussi loin que la vue pouvait porter. Elles formaient une continuelle succession de prairies couvertes de pruniers rouges et de fruits sauvages, et puis d'îlots ombragés par de grands arbres autour desquels des vignes s'enroulaient amoureusement. Ici un rocher noirâtre opposait au courant son front de pierre et sortait de l'eau sa tête limoneuse comme celle d'un amphibie. Tout à côté une petite île étalait à la surface de l'eau un parterre émaillé de fleurs les plus charmantes. Plus loin c'était comme une large table couverte de baies de toutes sortes : bluets, framboises, mûres, groseilles rouges, blanches et bleues, au-dessus desquels se balançaient de petits arbres chargés de merises, et de poires sauvages. Quelques-unes de ces îles étaient si rapprochées que les voyageurs passaient entre elles sous un berceau formé par la cime des arbres qui se tendaient fraternellement la main au-dessus de l'eau bleue du fleuve.

Jetez sur tous ces feuillages les couleurs les plus vives que l'automne, ce grand artiste, ait sur sa palette, depuis le vert pâle et foncé, le jaune clair et brillant, jusqu'au rouge-feu ; peuplez ces mystérieuses retraites de castors et de loutres au riche pelage et qui fendent rapidement le fil de l'eau pour se sauver d'une île à l'autre ; embusquez derrière l'énorme pin sombre la tête curieuse d'un orignal qui regarde un moment passer la flottille et bondit soudain au plus épais du fourré qu'il écarte d'un coup de sa ramure ; suspendez sur toutes ces branches d'arbres des nids d'oiseaux de toute espèce, et d'où s'échappe un concert de chants multiples qui se croisent et se mêlent au doux bruissement des feuilles, et vous aurez une vision de ce spectacle enchanteur qui ravissait même des captifs s'acheminant vers le poteau de mort.

Après une autre station faite à l'endroit où M. de Sorel devait, un an ou deux plus tard, rebâtir le fort de Richelieu élevé par M. de Montmagny en 1642 et alors abandonné, Griffe-d'Ours et ses guerriers quittèrent le fleuve pour s'engager dans la rivière des Iroquois ou Richelieu.

Au bout de deux jours de navigation, ils s'arrêtèrent au-dessous de rapides qu'il était impossible de remonter en canots. Les Sauvages cachèrent leurs pirogues sous des arbres renversés et des broussailles, au lieu même où M. de Chambly devait bientôt construire le fort Saint-Louis.

Les Iroquois chargèrent ensuite les deux prisonniers de tout le bagage qu'ils pouvaient porter, et eux-mêmes prenant le reste, la petite caravane s'enfonça dans les bois.

Alors commença pour les captifs la plus rude épreuve de leur voyage. Bien que la rivière soit navigable trois lieues au-dessus des rapides de Saint-Jean, les Sauvages qui avaient laissé, en venant d'autres pirogues à l'embouchure du lac Champlain, préféraient se rendre à pied jusque là. C'était une marche de six grandes journées. À l'exception de Mlle de Richecourt que l'autorité de Griffe-d'Ours avait empêché d'être maltraitée et dépouillée de ses vêtements, les captifs, blessés, faibles, mal nourris, presque nus, chargés en outre de plus de bagage qu'ils n'en pouvaient porter, devaient se frayer un passage à travers la forêt, par des chemins non battus, parmi les pierres, les ronces, les fondrières, l'eau et tous les embarras imaginables que connaissent ceux-là seuls qui ont un peu couru les bois.

Privés de leurs chaussures, les pieds nus et encore endoloris par les brûlures qu'ils avaient subies, Mornac et Vilarme souffrirent des tortures atroces dans les premières heures de marche. Qu'on se figure de malheureux gentilshommes dont la plante des pieds n'a jamais foulé nue le sol, et obligés de marcher forcément, au pas gymnastique, en pleine forêt vierge, sur les cailloux et les branches sèches, lorsque leurs pieds saignaient encore des blessures infligées deux ou trois jours auparavant par les Sauvages.

Au milieu de la première journée, Vilarme épuisé s'abattit sur le sol où il resta étendu sans connaissance. Les Iroquois tombèrent sur lui à grands coups de bâtons, le rappelèrent à la vie et le forcèrent à continuer de marcher ainsi jusqu'au soir.

Plutôt que de se faire rosser de la sorte, Mornac se dit qu'il mourrait debout et en marchant !

Le soir vint enfin. Tandis que Mlle de Richecourt se jetait épuisée, mourante de fatigue, sur un tas de feuilles sèches, Mornac et Vilarme furent chargés d'aller chercher le bois et l'eau et de faire la cuisine.

On leur jeta quelques bouchées, puis on les lia chacun à un arbre, à une telle distance du feu qu'ils ne pouvaient en ressentir la chaleur.

La pluie vint à tomber et comme on était à la fin de septembre où les nuits commencent à être froides et que les deux prisonniers étaient à peu près nus, ils passèrent la nuit à grelotter. L'immense fatigue qu'ils éprouvaient leur aurait peut-être procuré quelque sommeil, malgré le froid et l'orage ; mais on avait serré leurs liens si fort que la souffrance qu'ils en ressentaient ne leur laissait pas un seul instant de repos.

Vers le milieu de la nuit, Vilarme s'en plaignit à l'un des Sauvages. Il n'en obtint d'autre soulagement que de voir ses liens serrés davantage.

– Cadédis ! lui dit Mornac, vous n'avez pas de chance, M. de Vilarme ; et vous admettrez que ma persistance à tout endurer sans me plaindre me vaut un peu plus d'égards.

Jeanne de Richecourt, blottie, non loin de Mornac, sous des peaux que Griffe-d'Ours lui avait procurées, frissonnait de froid et de peur. Au moindre mouvement qui agitait le cercle des Sauvages couchés en rond autour du feu, elle se mettait soudain sur son séant et jetait autour d'elle des regards chargés d'angoisse. Mais, comme nous l'avons dit, elle avait subjugué Griffe-d'Ours, et quant aux autres Sauvages elle n'en avait rien à craindre.

Le lendemain, tout brisés que fussent les captifs par l'affreuse journée de marche de la veille et par l'insupportable nuit qu'ils venaient de passer, il leur fallut se remettre en route.

Dès les premiers pas qu'il fit, Mornac ne retint qu'à force d'une incroyable énergie les sanglots de douleur que ses pieds enflés, meurtris et ensanglantés, lui arrachaient presque.

Au bout de vingt pas, Vilarme tomba. On le releva à coups de bâton. Peu à peu cependant la force du mal engourdit leurs pieds, et ils allèrent ainsi jusqu'au soir, marchant comme des automates, laissant des gouttes de leur sang à chaque buisson, à toutes les pierres et aux branches mortes qui remplissaient le sentier.

Comme la nuit approchait et qu'il n'avait rien mangé depuis le matin, Mornac sentit ses jambes se dérober sous lui et tomba en traversant un ruisseau. Il était tellement chargé, son pauvre corps était si las, l'eau si invitante et la vie tellement insupportable, que le gentilhomme eut un instant l'idée d'en finir et de se laisser aller sous l'onde.

Un dernier regard qu'il voulut jeter à sa cousine, comme un adieu suprême, lui remit le courage au cœur.

– C'est sur moi seul qu'elle peut compter pour se tirer des périls qui l'environnent, pensa-t-il en faisant un énorme effort qui l'aida à se relever.

Il en était temps, car déjà ses bourreaux saisissaient de grosses pierres pour les lui jeter.

On se demandera comment Mlle de Richecourt pouvait endurer autant de fatigue. Qu'on se rappelle d'abord qu'elle n'avait pas à marcher pieds nus comme ses compagnons d'infortune, et qu'elle n'avait pas été torturée comme eux. Ensuite elle sentait que si elle avait le malheur de rester en arrière, loin de Mornac et des autres Sauvages et seule avec Griffe-d'Ours, elle était perdue. Aussi s'était-elle dit qu'elle suivrait les autres tant qu'elle aurait un souffle de vie. Et elle allait toujours, montant, descendant, trébuchant, reprenant pied, tombant et se relevant aussitôt. Mais sa tête était en feu et la fièvre dévorait tous ses membres.

La nuit suivante, les captifs dormirent un peu ; ce qui leur rendit assez de force pour continuer leur pénible voyage. Au bout de la sixième journée, ils arrivèrent sur les bords du lac Champlain.

Les Sauvages retrouvèrent leurs canots qu'ils avaient habilement cachés sous les halliers, et les lancèrent sur le grand lac *des Iroquois* auquel Champlain a laissé son nom.

D'abord étroit et bordé de rives assez basses à son embouchure, le lac allait s'élargissant peu à peu devant les voyageurs, tandis que ses rives s'élevaient ainsi en le dominant plus loin de falaises escarpées.

La petite troupe campa le soir dans l'île au Chapon et le lendemain sur celle des Vents.

Vers le midi de la troisième journée, comme ils arrivaient par le milieu du lac, qui peut avoir en cet endroit une douzaine de lieues de large, on aperçut au loin, à l'Occident et au Midi, de hautes montagnes qui élevaient là-bas, au-dessus des sombres forêts, leurs sommets presque toujours couverts de neige.

Griffe-d'Ours montra celle du Midi aux prisonniers, et leur dit que c'était par là que tendait leur voyage, et que là s'élevaient les cabanes d'Agniers où les captifs seraient brûlés.

– Ce gaillard a réellement des procédés fort délicats ! pensa Mornac.

Après avoir passé la nuit suivante sur l'île aux Cèdres et avoir couché le lendemain sur la terre ferme, à l'endroit où le fort Saint-Frédérique devait s'élever plus tard, les Iroquois naviguèrent encore une journée jusqu'à la décharge du lac Saint-Sacrement où ils firent une nouvelle halte de nuit.

Le lendemain il fallait faire un portage de cinq à six lieues pour tourner la décharge et gagner les bords du lac Saint-Sacrement, que les Sauvages appelaient Andiatarocté (lieu où le lac se ferme). Comme on allait se mettre en marche, Mlle de Richecourt se leva comme les autres. Mais son visage était empourpré. Un instant ses yeux hagards se levèrent au ciel ; puis ses jambes se dérobèrent sous le poids de son corps, et elle s'affaissa évanouie sur le sol.

– Il faut porter la vierge blanche, dit Griffe-d'Ours à Mornac et à Vilarme.

Et il fit signe aux Sauvages de se charger des effets que portaient les deux captifs.

Un brancard fut improvisé, Jeanne installée dessus, et tous, les Iroquois leur bagage et leurs canots sur l'épaule, Mornac et Vilarme chargés de leur précieux fardeau, se mirent en marche.

Retardée par le transport de la malade la petite troupe mit deux jours à faire les quelques lieues qui les séparaient du lac Saint-Sacrement.

Pendant ce temps, saisie d'une fièvre et d'un délire ardents,

Jeanne se tordit sur le brancard avec des gémissements pitoyables.

Mornac qui ne pouvait rien faire pour calmer les souffrances de la jeune fille, marchait, marchait toujours, et tout en la portant jetait sur elle des regards pleins de larmes. Par moments il lui semblait être sous le coup d'un pénible cauchemar, et il se demandait si le ciel pouvait réellement permettre que des chrétiens souffrissent de semblables calamités.

Enfin le matin de la quatrième journée, on se rembarqua dans les canots qui gagnèrent en un jour l'extrémité sud-ouest du lac Saint-Sacrement. Ici se terminait le voyage par eau, mais il restait encore, sous des circonstances ordinaires, quatre longues journées de marche avant d'arriver au grand village des Agniers.

La maladie de Mlle de Richecourt allait encore prolonger le voyage, car Jeanne était de plus en plus faible et consumée par une fièvre intense.

Une fois leurs canots cachés sur le rivage de la terre ferme, les Iroquois reprirent leur bagage sur leurs épaules et s'engagèrent dans un sentier assez bien tracé qui aboutissait loin devant eux à la bourgade d'Agnier.

Vilarme ayant voulu se mettre à la tête de la civière sur laquelle Mornac et lui portaient la jeune fille, le chevalier lui dit sèchement :

– Prenez l'autre bout, monsieur.

– Et pourquoi plutôt moi que vous ?

– Parce que vous n'êtes pas digne de regarder les traits de cette pauvre enfant.

– Ah ! prenez garde s'écria Vilarme pâle de colère ; s'il est quelqu'un ici qui ne soit pas digne de regarder Mlle de Richecourt, ce doit être vous, chevalier de Mornac. Oui, vous, qui ne vous contentant pas d'être ivrogne, avez fait boire, lors de votre arrivée à Québec, ce chef iroquois qui, dans son ivresse, insulta la jeune fille qu'il apprit ainsi à convoiter et qu'il a relancée ensuite jusqu'à la Pointe-à-Lacaille ! Ce que je dis ici, je le sais pour l'avoir appris à Québec, le soir même de votre escapade.

– Je me suis déjà fait ce reproche, M. de Vilarme, répondit Mornac en baissant la tête, et je pleure chaque jour avec des larmes de sang cette étourderie qui va peut-être causer sa perte. Mais, ajouta-t-il en relevant les yeux sur Vilarme avec une fierté dédaigneuse et terrible, cette légèreté, cette folie commise par moi, m'était-il possible d'en prévoir les affreuses conséquences ? Tandis que vous, Vilarme, ne sentez-vous pas la furie des remords déchirer tout votre être en contemplant la victime que les suites de votre forfait ont réduite en ce déplorable état.

Comme Vilarme feignait d'ouvrir ses petits yeux louches, d'un air interrogateur, Mornac indigné s'écria :

– Moi aussi, je sais tout, assassin !

À ce mot terrible, Vilarme rugit et s'élança les poings fermés sur Mornac.

Mais deux vigoureux coups de bâton que l'un des Iroquois lui asséna sur le dos firent tomber sa rage, et il s'en alla prendre le pied du brancard en grinçant des dents.

Il devait y avoir un affreux secret entre ces deux hommes qui se haïssaient au point de voir leur inimitié persister jusque dans la navrante détresse où ils étaient tombés. Car l'extrême infortune a pour effet d'adoucir les animosités et de rapprocher les malheureux.

Dans la suite, lorsque Mornac aurait voulu se rappeler les incidents qui marquèrent leur pénible pèlerinage à travers la forêt qui séparait le lac Saint-Sacrement du village d'Agnier, il ne les entrevoyait plus qu'à travers un voile épais qui ne laissait à ses souvenirs que ces traits confus qui nous restent à la suite d'un rêve fatigant. Il se revoyait portant cette civière sur laquelle sa cousine gisait affaissée et mourante. Il se souvenait encore des remords qui étreignaient son cœur en songeant que sa folle inconséquence avait causé tous les tourments qui anéantissaient presque tant de jeunesse et de beauté. Il revoyait Vilarme, l'infâme Vilarme, qui portait l'avant du brancard en lui tournant le dos. En arrière et au devant d'eux, huit Sauvages, à demi-nus, les escortaient de leur surveillance active et de leur incessante cruauté. Puis les grands arbres de la forêt, dont les feuilles mortes et à demi tombées jonchaient la terre, défilaient longtemps, bien longtemps, à droite et à gauche sur les bords du sentier.

Voici pourtant un souvenir qu'il conserva vivace jusqu'à la mort, et qui jetait comme un gai rayon de soleil sur cette nuit sombre de son passé.

Après plusieurs journées de marche, des Sauvages inconnus étaient venus au-devant de la caravane en poussant de grands cris qui avaient tiré Mornac de l'espèce d'abrutissement où la fatigue et la souffrance le tenaient plongé. Ces nouveaux venus avaient accompagné quelque temps les prisonniers en poussant des hurlements féroces et les regardant avec des yeux terribles de menaces, lorsque tous débouchèrent de la forêt dans une clairière au centre de laquelle on apercevait, à distance sur les bords de la rivière Mohawk qui se jette dans l'Hudson, une grande bourgade iroquoise.

Ce village formait un long parallélogramme entouré de palissades, et de chaque côté duquel s'étendait une rangée de cabanes.

Griffe-d'Ours fit arrêter la petite troupe, donna l'ordre à Mornac et à Vilarme de déposer le brancard à terre et leur dit avec un cruel sourire :

– Avant que mes frères blancs soient brûlés, ce qui ne tardera guère, nous voulons, comme c'est notre coutume lorsque nous amenons des prisonniers à nos villages, vous donner le plaisir de bien vous sentir vivre encore une fois. Nos frères de la bourgade sont avertis de notre arrivée triomphante. Les voici qui sortent du village et qui s'avancent à notre rencontre. Ils vont se ranger sur deux lignes qui viendront finir ici. Les faces pâles entreront ainsi glorieusement dans Agnier entre deux rangs de guerriers. Seulement chacun de nous est armé d'un bâton, et mieux les hommes pâles pourront courir, moins ils recevront de coups.

On voyait s'avancer en effet toute la population de la bourgade, hommes, femmes, enfants, vieillards, tous jetant des hurlements qui faisaient trembler la forêt.

– Ah ! ce sont là vos usages, messieurs les Iroquois ! pensa Mornac. Eh bien ! sang de dious ! nous allons voir si le dernier des Mornac se laissera rosser impunément de la sorte !

Dans un clin d'œil, une double haie s'était formée sur une longueur de trois ou quatre arpents, et les Iroquois lançaient des cris d'impatience et demandaient qu'on leur livrât les prisonniers.

Deux des Sauvages de l'escorte étaient restés derrière les captifs pour les pousser l'un après l'autre entre les deux formidables rangées d'hommes.

Mornac était le plus jeune et le plus alerte des deux. Aussi fut-il gardé pour la fin, pour la bonne bouche, comme on dit, et l'on poussa de force Vilarme dans le terrible entonnoir. À peine y fut-il entré que les coups commencèrent à pleuvoir, de droite et de gauche, comme grêle sur tout le corps du misérable. On ne voyait qu'une nuée de bâtons qui s'élevaient, s'abaissaient, tournoyaient et tombaient, et, au milieu des deux haies grouillantes et hurlantes, Vilarme qui courait à toutes jambes. Une fois il s'abattit sur le sol : une vieille femme qui n'avait pas la force de lever son bâton, lui en avait barré les jambes. Le malheureux fut tellement roué de coups que la douleur lui rendit la force de se relever aussitôt et de s'enfuir vers l'entrée du village où Mornac le vit disparaître au milieu d'un nuage de pierres.

Sans attendre qu'on l'invitât poliment à entrer dans ce gouffre, Mornac bondit en avant.

Griffe-d'Ours qui n'avait pas voulu se priver de ce charmant plaisir de la réception, se tenait le premier sur les rangs. Tout entier au bonheur de voir maltraiter Vilarme, le Sauvage se penchait en avant pour regarder plus loin, lorsque Mornac tomba sur lui comme une trombe, lui arracha son bâton, et d'un coup de poing envoya rouler l'Iroquois à trois pas. Puis, brandissant ce gourdin en homme qui connaît toutes les ressources de l'escrime, le chevalier assomma deux autres Sauvages en un tour de main, rompit l'une des deux lignes et, rapide comme l'ouragan, prit en dehors de la haie vivante sa course dans la direction du village.

Il avait bien songé d'abord à s'enfuir vers les bois. Mais la pensée de laisser sa cousine à la merci des barbares l'avait retenu.

– Après tout, s'était-il dit avec cette confiance inébranlable que tout Gascon place en sa bonne étoile, qui sait si je ne me tirerai point d'affaire, une fois rendu sain et sauf dans le giron de cette aimable populace ?

Le brouhaha était indescriptible. Les deux haies s'étaient rompues et chacun courait sus à Mornac.

Mais celui-ci doué de la plus belle paire de jambes qui aient arpenté les terres de Gascogne, courait plus vite qu'aucun des poursuivants. Ses pieds touchaient à peine au sol. Il volait.

Lorsqu'on le serrait de trop près, le terrible bâton dont il était armé tournoyait en sifflant, et le vide se faisait aussitôt devant lui.

Les hommes se bousculaient, culbutaient et criaient, tandis que les enfants et les femmes lançaient des pierres au fugitif qui les esquivait presque toutes.

– Quel dommage que je n'aie pas le temps de m'arrêter pour rire, se disait-il. Ça doit être drôle !

En quelques secondes, il arriva sans encombre à la porte des palissades qui entouraient le village et qu'il franchit sain et sauf, grâce au merveilleux moulinet de son gourdin. Il courut toujours devant lui dans l'espèce de rue qui séparait les deux rangées de cabanes, jusqu'à ce qu'il fût arrivé au milieu de la bourgade, où il aperçut un échafaud qui s'élevait à six pieds au-dessus du sol.

Il prit son élan et sauta dessus.

Là, dominant la foule rugissante qui s'était engouffrée sur ses pas dans le village, il passa sous le bras gauche le bâton qui lui avait si bien servi, et croisant fièrement ses bras sur sa poitrine, il s'écria :

– Fils de tes nobles aïeux, tu es le premier Mornac qui a jamais fui devant l'ennemi. Mais je veux que le diable m'emporte si tu n'as pas en ce moment les honneurs de la victoire !

X

Où le Chevalier Robert du Portail de Mornac s'estima fort heureux d'échanger l'illustre nom de ses ancêtres contre celui de Castor-Pelé

Toute la population du village entourait en criant l'échafaud sur lequel Mornac s'était réfugié et d'où il dominait, calme et superbe, cette mer de têtes hideuses qui ondulait à ses pieds.

– Pouah ! sont-ils laids ces bandits-là ! se disait le Gascon. Cela valait bien la peine de quitter la cour et les belles marquises de Paris, pour venir aussi loin terminer mes jours au milieu d'une si vilaine population ! Car il ne faut pas te faire d'illusion, mon petit Mornac, ces gens-là m'ont l'air fort mal disposé à ton égard, et je crois que tu vas bientôt passer un mauvais quart d'heure.

Les cris redoublaient à chaque seconde. C'était un concert infernal de vociférations.

– Allons ! le moment est venu, grommela Mornac. Il te faut mourir, mon vieux, mais mourir comme un soldat, au milieu de la mêlée. Ah ! mordious, si j'avais seulement mon épée, les belles estafilades et les grands coups d'estoc et de taille dont je pourfendrais ces marauds ! N'importe ! ajouta-t-il en reprenant le bâton dans sa main droite, je vais toujours bien, avec cette arme de manant, fêler encore quelques caboches... Et ma pauvre cousine ! Ah bah ! c'est la plus heureuse de nous trois. Elle va mourir de sa belle mort, car cette fièvre qui la dévore va certainement l'emporter.

En ce moment un Sauvage essayait de monter sur l'échafaud, en arrière de Mornac.

Celui-ci l'aperçut du coin de l'œil, se retourna et lui asséna un grand coup. L'Iroquois aurait eu le crâne fracassé, s'il n'eût penché la tête. Mais il n'en reçut pas moins le coup sur l'épaule droite. Ce qui le fit lâcher prise et retomber en beuglant.

Les Sauvages semblaient hésiter et Mornac se demandait s'ils n'allaient pas, de crainte de l'approcher, lui tirer à distance une flèche ou quelque arquebuse. Il se réjouissait déjà de mourir sans trop de souffrance, quand il sentit l'échafaud se dérober sous ses pieds. Il perdit l'équilibre et roula par terre.

Deux Sauvages s'étaient glissés sous la plate-forme et avaient abattu deux des quatre pieux sur lesquels elle reposait. Avant que le malheureux gentilhomme pût se relever il était entouré, maintenu à terre et garrotté.

L'échafaud fut relevé en un clin d'œil et Mornac hissé dessus. Tandis qu'on l'attachait à l'un des deux poteaux qui dominaient la plate-forme, on apporta Vilarme qu'on venait de retrouver blotti sous un ouigouam. Le misérable était tellement couvert de contusions que c'était grande pitié de le voir.

Lorsqu'on eut lié Vilarme à l'autre poteau, Griffe-d'Ours s'approcha de Mornac et lui dit :

– Mon frère est agile et brave.

– N'est-ce pas ? repartit Mornac. Et cet œil qui te sort de la tête en témoigne visiblement.

– Oui, reprit le chef. Mais nous allons voir si tu conserveras ta fierté dans les tourments. Tout à l'heure nos jeunes gens vont commencer à te *caresser*. Cela durera longtemps ; car ceux qui veulent t'éprouver sont nombreux. Ensuite, tu seras brûlé. Mais auparavant, comme c'est l'usage des guerriers, tu vas chanter ta chanson de mort.

– Au fait ! pourquoi pas ? dit Mornac. Autant vaut chanter que se lamenter inutilement.

Et d'une voix mâle il entonna cette chanson de bravache :

Je suis un cadet de Gascogne
Né d'un père très fortuné
Qui, sandis ! viveur sans vergogne,
Mourut bel et bien ruiné.

Il ne me laissa rien pour vivre
Qu'un donjon moussu que le vent
Ébranlait, tandis que le givre
Sur mon lit descendait souvent.

Mais j'avais du courage en l'âme

Et j'eus bientôt pris mon parti ;
Des aïeux décrochant la lame
Pour guerroyer je suis parti.

Je devins soldat d'aventure,
Marchant le jour sous le harnais
Ayant le ciel pour couverture
La nuit lorsque je m'endormais.

Or, par un beau jour de bataille,
Je m'en allai si loin, fauchant
À grands coups d'estoc et de taille,
Qu'officier fus fait sur le champ.

Plus tard, de simple volontaire,
Grâce à maints coups de bon aloi,
Je passai brillant mousquetaire
Pour veiller auprès de mon roi.

Le jour aux pieds des grandes dames,
J'étais vraiment fort glorieux
Car j'enflammais toutes leurs âmes
Du regard brûlant de mes yeux.

Cadédis ! au Louvre la Garde
Sait mêler le doux au devoir !
Souventes fois on se hasarde
À courir Paris vers le soir.

Longeant dans l'ombre la muraille
J'avisais quelque frais minois,
Et criais au manant : « Canaille,
Au large ! ou je te fends, bourgeois ! »

Après amoureuse aventure

Trouvant le cabaret fermé,
Je frappais sur la devanture
De ma dague le poing armé.

Dedans la taverne fumeuse
J'entrais m'asseoir près d'un soudard
Qui de ma vie aventureuse
Jadis partagea le hasard.

Nous vidions plus d'un plein grand verre
Et causions jusqu'au lendemain,
Nos éperons grinçant par terre
Et le front perdu dans la main.

De la sorte coulait ma vie :
Je savais narguer le malheur
En évitant toute autre envie
Qui pouvait gâter mon bonheur.

Champ trop restreint pour la victoire
J'ai quitté le vieux continent,
Pour promener un peu ma gloire
De l'Orient à l'Occident.

Je disais : « Que la mort m'attrape,
Là-bas, je m'en ris ! si vainqueur,
Dans une bataille, elle frappe
Son sire et maître droit au cœur. »

Croyant mourir comme les braves,
Je voulais trépasser ainsi ;
Et tel qu'un gueux dans les entraves
Vous allez me griller ici !

Allez, moricauds, qu'on apprête

Le bûcher qui me doit brûler
Et que l'on convoque à la fête
Tous les porte-flèches d'Agnier.

Tête de bouc, farfadet, gnome,
Connu sous le nom d'Iroquois,
Viens donc voir comme un gentilhomme
Laisse échapper le sang gaulois !

Venez, bourreaux, prenez la hache
Et le couteau, le feu, le fer,
Entourez-moi que je vous crache
Mon mépris, truands de l'enfer !

Tout le temps que dura la chanson de Mornac, les Sauvages s'étaient tenus cois autour de lui. Le sang-froid du Gascon en imposait à ces hommes pour qui le courage était la plus grande vertu.

Aussi l'acclamèrent-ils quand il eut fini.

Griffe-d'Ours qui se tenait au premier rang lui dit :

– Nos guerriers sont contents de toi. Ils vont te le prouver tout de suite en te torturant avec toute l'attention que mérite un capitaine. Nous ne négligerons rien pour te rendre les honneurs qui sont dus à ton courage.

Des jeunes gens armés de couteaux vinrent à Mornac en se disputant à qui commencerait à le tourmenter.

Le gentilhomme les regardait avec un sourire dédaigneux accroché au bout de sa moustache, et rassemblait toutes ses forces pour mourir en homme de cœur, lorsque, sur un signe de Griffe-d'Ours, les jeunes hommes s'arrêtèrent.

La foule se fendait devant une vieille femme qui s'approchait de l'échafaud en traînant ses pieds affaiblis par l'âge. Arrivée au lieu du supplice, elle s'arrêta et se mit à parler d'une voix chevrotante.

On l'écoutait en silence.

N'entendant pas un mot d'iroquois, Mornac ne la comprenait

point.

– Peste soit de la vieille bavarde ! murmura-t-il. Pourquoi s'en vient-elle ainsi prolonger mon agonie ?

Voici ce que disait pourtant la vieille femme :

– C'est en vain que j'ai cherché mon fils, le Castor-Pelé, parmi les guerriers qui ont amené ces captifs. Ne le reconnaissant pas d'abord au milieu du parti qui revenait avec Griffe-d'Ours, j'ai cru que mes yeux vieillis ne pouvaient plus reconnaître mon fils chéri. Hélas ! ma vue n'est que trop bonne et ne m'avait point trompée. Je n'ai plus d'enfant. Il a été tué. Le soutien de ma vieillesse est resté là-bas et dort sous la terre des Français. Que vais-je devenir, moi qui suis maintenant seule au monde ? Qui m'apportera le bois pour entretenir le feu de ma cabane ? Qui, pour soutenir les derniers jours de ma douloureuse existence, ira chasser dans les bois le caribou rapide et pêcher le poisson sur les lacs lointains ? Personne ; et je devrai mourir de faim, si les vieillards du conseil, les guerriers et les jeunes gens ne me permettent pas d'adopter ce visage pâle pour mon fils.

Elle montra Mornac de sa vieille main ridée.

Un murmure désapprobateur courut dans la foule et les jeunes gens désappointés brandirent leurs couteaux d'un air décidé. Griffe-d'Ours ne paraissait pas un des moins déterminés à se défaire de Mornac. Les raisons ne lui en manquaient pas.

Le plus vieux des anciens de la nation qui se tenait au bas de l'échafaud dit alors :

– Depuis quand les jeunes gens d'Agnier refusent-ils de se soumettre aux usages établis ? La mère du Castor-Pelé veut adopter le jeune visage pâle pour remplacer son fils tué sur le sentier de guerre, que sa volonté soit satisfaite. Jeunes hommes, détachez le prisonnier. Il est libre.

Les jeunes gens rengainèrent leurs couteaux et se mirent à délier Mornac. Celui-ci, l'air ébahi, les regardait faire, et se demandait quel genre de tourment allait remplacer ceux qu'il venait d'éviter.

Ses liens étant tombés, comme il ne bougeait point, Griffe-d'Ours lui dit froidement :

– Si le visage pâle comprenait le langage des Iroquois, il saurait qu'il est libre. Cette femme qui vient de parler t'adopte pour son fils que tu as tué ; c'est la coutume. Va-t'en habiter avec elle et montre-toi aussi bon fils que le Castor-Pelé dont tu porteras désormais le nom. Seulement, sache bien que si tu essayes de te sauver, rien alors ne saurait te soustraire au supplice du feu.

– Vive Dieu ! s'écria Mornac, en sautant à bas de l'échafaud, j'ai tout de même une fameuse chance, cadédis ! Que le diable m'emporte si je n'embrasse pas cette vieille qui, toute laide qu'elle est, ne m'en a pas moins sauvé la vie.

Et il sauta au cou de la vieille femme qui se laissa faire.

– Hein ! grommela-t-il en desserrant aussitôt les bras ; c'est malheureux que maman sauvage sente autant l'huile rance. Je m'habituerai difficilement à son odeur maternelle !

Frustrés dans leur espoir de torturer Mornac, les jeunes gens s'étaient tournés du côté de Vilarme, et leurs allures laissaient voir au misérable qu'il allait payer pour deux. Aussi était-il jaune de peur ; les dents lui claquaient dans la bouche.

Déjà l'un des Sauvages s'était emparé de la main droite du malheureux et se préparait à la transpercer avec la pointe d'un couteau, quand la foule s'ouvrit encore pour laisser passer une autre femme moins âgée que la première, mais encore plus laide et repoussante. Cinq ou six enfants sales et nus la suivaient ; elle en portait un autre à la mamelle.

– Je viens d'apprendre, dit-elle avec des sanglots vrais ou feints, que le compagnon de ma vie, le Serpent-Vert, a été tué par les Français ! Me voilà seule désormais, seule avec les enfants qu'il m'a laissés ! Que mon ouigouam va me sembler désert ! L'hiver approche, et je n'ai rien dans ma cabane pour nourrir mes enfants durant la saison des neiges. Nous allons tous périr de faim !...

Ici elle s'arrêta, car ses pleurs redoublaient.

– Donnez-lui le Français ! s'écria une voix railleuse ; et quelqu'un dans la foule désigna Vilarme du doigt.

Un formidable éclat de rire accueillit cette proposition. La digne épouse du Serpent-Vert passait à bon droit pour la femme la plus acariâtre du village. C'était une vraie furie que la Corneille, et comme le Serpent-Vert avait toujours eu la réputation d'un mari souvent battu, pas un guerrier de la tribu n'aurait voulu remplacer le défunt, même pour une douzaine d'arquebuses toutes neuves.

– Donnons-lui le Français ! répétèrent en chœur les jeunes gens. Et ils s'empressèrent de délier Vilarme avec une célérité qui indiquait clairement que l'infortuné ne faisait qu'éviter un genre de supplice pour en subir un autre plus insupportable encore.

Pour se bien venger d'un homme on ne ferait vraiment pas mieux dans le pays le plus civilisé.

Vilarme levait pourtant au ciel des yeux rayonnants de joie. Griffe-d'Ours lui dit :

– Face pâle, ne te réjouis pas trop vite ! Peut-être qu'avant la nouvelle lune tu viendras te remettre de toi-même au poteau de la torture afin qu'on mette fin à ton supplice. Pour ma part, j'aimerais mieux être scalpé et brûlé dix fois à petit feu que d'être le mari de la Corneille. Va, Chien, et que le bras de ta compagne te soit léger.

Mornac avait parfaitement saisi le sens de cette scène par la pantomime des acteurs ; et comme on conduisait Vilarme en triomphe au ouigouam de la Corneille, le Gascon dit à son compagnon de captivité :

– Mes respects à madame votre épouse, et veuillez embrasser pour moi votre intéressante famille, ajouta-t-il en désignant les enfants morveux du Serpent-Vert.

– Vous me payerez avant longtemps tous vos sarcasmes ! gronda Vilarme qui lui montra le poing.

La mère adoptive de Mornac le conduisit dans sa cabane. Quand elle y fut entrée et sûre qu'ils étaient seuls, elle regarda Mornac avec douceur, fit le signe de la croix et dit, tout bas, en français :

– Je suis chrétienne.

Et son air semblait ajouter : – Comme telle je te pardonne la mort de mon fils.

Ce qui était vraiment sublime au milieu d'un peuple qui ne pratiquait rien moins que le pardon des injures.

Le chevalier surpris voulut l'interroger. Mais elle ne savait de français que ces trois mots seulement.

Cette pauvre femme avait été baptisée par le père Jogues, torturé en premier lieu lors de sa captivité chez les Agniers en 1642 et assassiné par eux, quatre ans plus tard, dans l'un des villages iroquois, où il avait été envoyé en ambassade par M. de Montmagny.

Une heure après, Mornac achevait de dévorer un énorme morceau de venaison que la bonne vieille lui avait donné, quand des cris perçants, suivis de grands éclats de rire, l'attirèrent au dehors.

Un rassemblement de Sauvages entourait le ouigouam de la Corneille. Mornac s'approcha et se mêla au cercle des curieux.

Madame de Vilarme, les cheveux épars sur le dos comme l'une des Euménides, un pied appuyé sur la tête de son nouvel époux qu'elle avait renversé par terre (car c'était une maîtresse femme que la Corneille) le rossait à grand coups de bâton.

François de Vilarme ne voulut jamais avouer le motif qui avait si déplorablement terminé sa courte lune de miel.

Tonnerre de Gascogne ! pensa Mornac en regagnant le ouigouam de la bonne vieille, voici bien la plus grande calamité à laquelle j'ai jamais échappé.

XI

Où il est encore question de Castor-Pelé

Griffe-d'Ours avait fait transporter Jeanne de Richecourt dans la cabane de la Perdrix-Blanche.

La Perdrix-Blanche, sœur de Griffe-d'Ours, devait son nom à son teint moins cuivré que celui des autres femmes de sa race. Elle venait de perdre son mari, tué dans une expédition de guerre, et habitait seule, avec deux enfants, un ouigouam rendu désert par la mort du guerrier.

Jeanne en proie à une fièvre inflammatoire des plus ardentes fut suspendue plusieurs jours entre la vie et la mort. Enfin la force de la jeunesse, et peut-être l'absence de tout médecin, triomphèrent de la maladie, et trois semaines après son arrivée au village d'Agnier elle était en convalescence.

Plusieurs fois, Mornac s'était glissé jusqu'à elle et lui avait prodigué les consolations et les secours qu'il était en son pouvoir de lui donner. Dans ses courtes visites à sa cousine, il lui fallait pourtant user d'une extrême prudence. Car un jour, Griffe-d'Ours l'avait vu sortir du ouigouam de la Perdrix-Blanche et lui avait dit qu'il le tuerait s'il le revoyait encore entrer dans la cabane où logeait la vierge pâle.

Griffe-d'Ours lui-même n'avait pas encore tenté de revoir la jeune fille. Mornac le savait, et jusqu'à ce jour il était resté tranquille, prêt pourtant à agir à la première occasion.

Quant à Vilarme, il faut croire que Griffe-d'Ours l'avait signalé à la vigilance de la Corneille ou que celle-ci était fort jalouse. À peine le malheureux remplaçant du Serpent-Vert faisait-il un pas hors de la cabane de sa moitié que cette dernière l'y faisait rentrer à grands coups de bâton. Vilarme avait d'abord voulu regimber, mais il avait toujours eu le dessous dans ses luttes avec la Corneille, une fière femme, je vous le jure, et maintenant il filait doux.

On était aux premiers jours de novembre. Jeanne de Richecourt encore faible, reposait assise sur une peau d'ours, dans un coin de la cabane.

Il lui avait fallu beaucoup d'énergie pour supporter les incommodités de la vie sauvage qui était des plus grossières, quoi qu'en aient écrit Chateaubriand et bien d'autres.

D'abord, pour une femme délicatement élevée et malade, c'était une triste nourriture que de l'anguille fumée, des bouillons impossibles à la chair de chien, et d'autres salmigondis sans sel et sans épices, ainsi que des galettes de farine de maïs grossièrement moulu ou plutôt pilé dans des mortiers.

Nos peuplades sauvages avaient peu d'égards pour leur estomac et ne connaissaient point les douceurs de la table. La chair de chien faisait leurs délices, et encore n'en mangeaient-ils pas souvent vu qu'on la réservait pour les grands galas. Quant à la venaison ils n'en mangeaient, pour ainsi dire, que dans leurs expéditions de chasse ou de guerre. Le sauvage, indolent, ne prenait pas la peine de sortir du village, en temps ordinaires, pour se procurer de la venaison fraîche. On faisait une, deux grandes chasses par an, et toute la viande qui en provenait était aussitôt fumée et convertie en *pémican*. L'on vivait là-dessus durant la plus longue partie de l'année.

Pour ce qui est de leurs cabanes, elles étaient de la plus grande malpropreté. Les punaises et les puces y avaient le droit de cité le mieux établi, et les chiens, sales, hargneux et voraces, y étaient presque les égaux des maîtres avec lesquels ils couchaient pêle-mêle et mangeaient habituellement. Bien que les Iroquois, dont le nom voulait dire *faiseurs de cabanes*, se logeassent mieux que les autres Sauvages, leurs habitations n'avaient guère d'autre commodité que de les mettre à l'abri des plus graves intempéries des saisons.

Leurs ouigouams avaient ordinairement quatre-vingts pieds de longueur, vingt-cinq ou trente de large et vingt de haut, quelquefois plus et souvent moins encore. Ces cabanes étaient couvertes d'écorces de bouleau, ou de bois blanc. À droite et à gauche régnait à l'intérieur une estrade d'environ neuf pieds de largeur sur un pied d'élévation ; elle servait de lit. Le feu se faisait entre ces deux estrades, et la fumée sortait par une ouverture pratiquée au milieu du toit et qui laissait voir le firmament. J'allais dire le ciel, mais un assez grave inconvénient causé par cette cheminée primitive, m'en empêche : lorsqu'il neigeait et que le vent venait à rafaler à l'intérieur, c'était un vrai supplice que d'être obligé d'y rester. La fumée devenait alors tellement suffocante qu'il fallait mettre la bouche contre terre pour respirer, tant ces âcres vapeurs saisissaient à la gorge, au nez et aux yeux.

Le jour où nous rejoignons Mlle de Richecourt sous le ouigouam de la Perdrix-Blanche, comme le vent soufflait par rafale, la fumée aveuglait la pauvre enfant dont les yeux et la gorge étaient en feu.

Elle mangeait tristement une fade sagamité de maïs et disputait avec peine à deux gros chiens, l'écuelle où ceux-ci s'efforçaient de porter le museau. Malgré ces désagréments, sa pensée était plutôt arrêtée sur sa situation morale que sur ses souffrances physiques.

Grâce à la hardiesse de Mornac qui ne craignait pas d'exposer sa vie chaque jour pour venir la rassurer, Jeanne savait que Griffe-d'Ours n'avait encore rien osé tenter contre elle. Mais maintenant que la santé lui revenait, quel horrible sort l'attendait donc ?

Instinctivement elle passa la main sous la peau d'ours qui lui servait de natte, et s'assura que son petit poignard y était encore. Sa figure se rasséréna au contact du stylet qu'elle avait réussi à dérober aux regards de la Perdrix-Blanche.

– Si je suis obligée de m'en servir, pensait-elle, Dieu voudra bien me pardonner.

Elle était plongée dans ces réflexions, quand la peau qui fermait l'entrée du ouigouam s'écarta lentement. La Perdrix-Blanche étant sortie depuis quelques moments, Jeanne, qui s'était recouchée, pensa que c'était elle qui revenait, et ne s'en troubla pas. Mais, tout à coup elle aperçut, à quelques pieds de son lit, Griffe-d'Ours qui la regardait.

Elle se mit sur son séant et sa main frémissante alla chercher le stylet caché sous la peau d'ours ; mais elle se garda bien pourtant de le laisser voir.

– Tant que la vierge blanche a été bien malade, dit Griffe-d'Ours, le chef n'a pas voulu pénétrer jusqu'à elle, de peur d'augmenter son mal. Mais la Perdrix-Blanche m'a dit que la vierge pâle est mieux et je suis venu lui dire que je m'en réjouis.

Jeanne effrayée n'osait rien dire de peur d'irriter l'Iroquois qu'elle fixait de ses grands yeux bruns fatigués par la fièvre, quand elle s'aperçut que la portière du ouigouam s'entrouvrait pour laisser passer doucement une curieuse figure de sauvage. Cette tête avait bien les cheveux relevés sur le sommet du crâne, avec une plume au milieu, à la manière iroquoise, mais ils n'étaient pas rasés au-dessus du front et des tempes ; les joues étaient peintes de couleurs voyantes, mais sillonnées contrairement aux us sauvages, de longues moustaches en croc. C'était bien la plus drôle de tête de guerrier des Cinq Cantons !

Apparemment qu'elle n'avait rien qui pût effrayer ; car à sa vue, Jeanne sembla rassurée et feignit de regarder Griffe-d'Ours avec la plus grande indifférence.

Celui-ci tournait le dos à la portière et ne pouvait remarquer l'intrus.

– Ma sœur paraît encore faible, reprit l'Iroquois ; et je vois qu'il nous faut retarder notre mariage de quelques jours.

Jeanne frémit.

L'homme qui se tenait à la porte de la cabane brandit silencieusement son couteau.

Ce geste dut remettre complètement Mlle de Richecourt, car elle leva sur Griffe-d'Ours ce regard fier que celui-ci ne pouvait supporter.

Il baissa les yeux et dit :

– Le chef reverra la vierge blanche encore une fois avant que d'en faire sa femme.

Comme il se retournait pour gagner la porte de la cabane, la tête du mystérieux personnage avait disparu.

Griffe-d'Ours sortit sans rencontrer personne.

Jeanne était encore sous la pénible impression que venait de lui causer cette visite importune, quand la portière s'écarta de nouveau et la curieuse tête tatouée apparut encore une fois.

L'homme entra après avoir jeté un furtif coup d'œil au dehors.

– Le Castor-Pelé, guerrier de la tribu de l'Ours, présente ses hommages à très haute demoiselle de Richecourt, dit-il en s'approchant de la jeune fille avec un profond salut.

– Vous serez toujours fou, mon cousin, dit Jeanne à Mornac. Vous riez de tout, même dans les situations les plus sérieuses.

– Conserver son sang-froid et sa gaieté dans les plus grands périls est le meilleur moyen de les surmonter tous, repartit Mornac.

Mais dites donc, charmante cousine, comment trouvez-vous le chevalier du Portail de Mornac en son nouveau costume de guerrier iroquois ?

– Superbe, en vérité ! répondit Jeanne qui éclata de rire.

Mornac était complètement métamorphosé. Guêtres de peau de daim, large ceinture dont les franges retombaient presque jusqu'au genou, couteau à scalper, tomahawk, collier de griffes et de dents de bêtes fauves, rien ne manquait à son accoutrement. Mais ses damnées moustaches faisaient, au milieu de tout cela, l'effet le plus comique !

– Le Castor-Pelé est un grand guerrier ! dit-il en se drapant à l'espagnole dans la large peau de castor qui lui tombait des épaules.

– Oui, et le plus grand Gascon des bords de la Garonne.

– Ah ! pour ça, ma cousine, c'est dans le sang, voyez-vous. Et sur mon âme, sans vous faire injure, je crois que vous en avez un peu dans les veines !

Si je me déguise ainsi, c'est pour plaire à nos gardiens. Savez-vous que je commence à être populaire au milieu d'eux. En cela j'ai mon but, croyez-moi bien.

Il se fit en ce moment un grand bruit au dehors. Mornac prêta l'oreille.

– Je me sauve, dit-il, on pourrait s'apercevoir que nous sommes ensemble. Mais ne craignez rien ; je veille sur vous.

Il s'esquiva.

Quand il fut sorti de la cabane il aperçut le crieur qui parcourait toutes les rues pour convoquer le Conseil. Chacun accourait au centre du village, et Mornac fit comme les autres.

Tous les hommes au-dessous de soixante ans se tenaient en plein air, tandis que les vieillards entraient dans la cabane du Conseil pour y délibérer.

Pendant tout le temps que siégea le Conseil, la foule garda le plus profond silence au dehors.

Au bout d'une demi-heure, l'orateur sortit de la cabane et s'avança vers les jeunes gens qui le renfermèrent au centre d'un cercle qu'ils composèrent en s'asseyant en rond.

L'orateur rendit compte de la délibération.

À la fin de chaque période l'assemblée criait à tue-tête :

– *Andeya !*

Ce qui voulait dire :

– Voilà qui est bien !

Mornac, assis comme les autres, regardait cette scène d'un air ahuri. Quand l'orateur eut fini de parler, il rentra dans les rangs.

Alors Griffe-d'Ours, son tomahawk à la main, s'avança au milieu du cercle, suivi de deux ou trois hommes qui plantèrent au centre un poteau près duquel ils s'assirent, en battant une mesure rapide sur une espèce de timbale.

Griffe-d'Ours se mit alors à danser à droite et à gauche et entonna un chant énergique.

Quand il était hors d'haleine, il s'arrêtait, frappait un coup de massue sur le poteau, puis reprenait sa danse et son chant.

– Je donnerais bien ma bourse vide, dit Mornac à demi voix, pour savoir ce que tout cela veut dire.

Son voisin, qui baragouinait quelques mots de français, l'entendit et lui dit :

– Griffe-d'Ours... partir aujourd'hui avec ses jeunes gens pour rencontrer les Mohicans qui veulent nous attaquer.

– Bonté du ciel ! pensa Mornac, notre chance continue à nous favoriser. Si l'expédition dure plusieurs jours, ma cousine aura le temps de se rétablir et nous filerons ! Car, mordious ! je commence à m'ennuyer ici !

L'assemblée se dispersa. Tandis que les guerriers qui devaient suivre Griffe-d'Ours couraient à leur cabane pour faire leurs préparatifs de départ, Mornac s'en alla flâner en dehors de l'enceinte du village. Il allait de ci et de là, fièrement drapé dans son manteau de fourrures, baillant aux grues et songeant à la singulière destinée qui le métamorphosait de la sorte, lorsque soudain, il entend des cris, et voit, à quelque distance une femme qui se tord les bras de désespoir et semble appeler à l'aide.

Il accourt et reconnaît la Perdrix-Blanche qui se tient sur les bords de la rivière Mohawk en remplissant l'air de ses cris.

D'un geste désespéré elle lui montre son enfant, âgé de cinq ou six années, qui se débat au milieu de la rivière assez profonde en cet endroit.

L'enfant avait déjà deux fois enfoncé sous l'eau et venait de reparaître à la surface.

En un clin d'œil, Mornac se débarrassa de son manteau, de sa ceinture et de ses guêtres, et s'élança dans la rivière.

Emporté par le courant et suffoqué par l'eau qu'il avait avalée, le malheureux enfant allait disparaître pour la troisième et dernière fois, lorsque Mornac, bon nageur, le rejoignit, le saisit par les cheveux, le ramena au rivage et le déposa vivant dans les bras de la Perdrix-Blanche.

La pauvre mère, éperdue de joie se jeta aux pieds de Mornac, et se mit à lui embrasser les genoux en murmurant de douces paroles qu'il aurait bien voulu comprendre.

Puis elle prodigua ses soins à l'enfant.

– Je crois bien, sandis ! pensa le Castor-Pelé, en remettant ses guêtres et sa ceinture, que je viens de me faire une alliée fidèle et dévouée !

FIN DU TOME PREMIER

Milton Keynes UK
Ingram Content Group UK Ltd.
UKHW050715181023
430769UK00009B/288